W9-ASD-777

Marcus Stölb // texte

GRAND-DUCHÉ DE LUXEMBOURG

Luxembourg City

Die Hauptstadt des Großherzogtums // La capitale du Grand-Duché // The capital of the Grand Duchy

EDITIONS
Guy Binsfeld

Stein gewordene Spannung

Sachte gleitet der Zug über die Schienen, passieren die Waggons das gewaltige Viadukt. Aus imposanter Höhe fällt der Blick ins Tal der Alzette, auf Luxemburgs Grund, wie sich der malerische Stadtteil zwischen Bockfelsen und Rham-Plateau nennt.

Für einen kurzen Moment wähnt sich der Bahnreisende inmitten einer Panoramalandschaft: Felsformationen und Festungsmauern trennen Tal und Oberstadt, kleine Brücken und schmale Straßenzüge schlängeln sich entlang des Flüsschens Alzette, auf dessen Wasseroberfläche sich die Fassaden der angrenzenden Häuser widerspiegeln – oder des Nachts das Laternenlicht schimmert und eine mediterran anmutende Stimmung in die Gassen zaubert. Aus dem Dächermeer ragt nur der Turm der Abteikirche von Neumünster empor. Irgendwie erinnert Luxemburgs Stadtbild in weiten Teilen an die liebevoll gestaltete Kulisse einer Modelleisenbahn.

Doch schweift der Blick ein wenig ab, hinauf zur sogenannten Oberstadt oder in Richtung Kirchberg, ist es mit der Beschaulichkeit auch schon vorbei. Bürotürme und Glasfassaden sowie spektakuläre Gebäude wie die neue Philharmonie oder das Museum für Moderne Kunst Grand-Duc Jean (MUDAM) kontrastieren mit den pittoresken Vierteln und der gewachsenen Architektur der mehr als tausend Jahre alten Festungsstadt. Auf dem Kirchberg, dem Europa- und Business-Viertel, zeichnen sich die Umrisse neuer Bürotürme ab, liefern sich Hochhäuser ein Wettrennen in Richtung Wolken; Stein gewordene Spannung, wie sie für diese Stadt so typisch ist. Kontraste sind es denn auch,

Une tension palpable dans la pierre

Le train avance en douceur et les wagons passent lentement sur l'imposant viaduc. Le voyageur a l'occasion de contempler la vallée de l'Alzette à partir d'une hauteur impressionnante. Il découvre le Grund, un pittoresque quartier de la capitale luxembourgeoise, situé entre le rocher du Bock et le plateau du Rham.

Le temps d'un instant, on se croirait transposé au milieu de ce paysage panoramique, avec ses formations rocheuses et les murs de la forteresse, qui séparent la vallée de la ville haute. Des passerelles se dressent au-dessus de l'Alzette, le long de laquelle se faufilent d'étroites ruelles. Les façades des maisons se reflètent dans l'eau. La nuit, la lumière des lanternes confère à ce quartier un air de Méditerranée. Les toits des maisons ne sont dépassés que par la tour du clocher de l'ancienne abbaye de Neumünster. La silhouette de la ville de Luxembourg a souvent des allures d'une jolie maquette de chemin de fer.

Si on regarde un peu plus loin, on découvre ce qu'on appelle la ville haute. De l'autre côté, il y a le Kirchberg, qui n'a plus grand-chose d'idyllique. Ici, ce sont les tours de bureaux et les façades en verre qui dominent. A l'image de la nouvelle salle de concerts Philharmonie ou du MUDAM, le Musée d'art moderne Grand-Duc Jean, c'est une architecture spectaculaire qui fait face aux pittoresques quartiers d'une ville-forteresse plus que millénaire. Au Kirchberg, le quartier des affaires et des institutions européennes, on découvre les contours de nouveaux immeubles de bureaux et les gratte-ciel semblent

Diversity set in stone

The train rumbles gently over the tracks, its wagons crossing the mighty viaduct. The view from this imposing height looks out onto the valley of the Alzette, onto Luxembourg's Grund, the city's picturesque suburb nestled between the crags of the Bock and the Rham plateau.

For a brief moment, train travellers are transported into a panorama landscape: rock formations and fortress walls separate the valley from the upper town, miniature bridges and narrow streets wind their way along the river Alzette, its surface a reflection of the façades gracing the houses that line its banks. At night, the shimmering light cast by the street lights generates a magical Mediterranean-style atmosphere. The spire of the Neumünster abbey church is the only element to rise above the sea of rooftops. In many ways, Luxembourg's townscape is reminiscent of a lovingly tended modelrailway site.

This sense of serenity evaporates as soon as the gaze veers towards the so-called upper town or in the direction of Kirchberg. Office towers and glass façades alongside spectacular structures such as the new Philharmonie or the Grand Duke Jean Museum of Modern Art (MUDAM) contrast with the city's picturesque quarters and the more naturally evolved architecture of the old fortress town, which is over a thousand years old. On Kirchberg, Luxembourg's European and business district, the silhouettes of office towers can be spotted on the horizon, with high-rise structures competing for the skies; diversity set in stone, a typical characteristic of this city. Much of the

Festungsbollwerke und Altstadt, von der Unesco als Weltkulturerbe ausgezeichnet, sind auf Sandsteinfelsen errichtet // Les remparts de la forteresse et la vieille ville, inscrits au patrimoine culturel de l'Unesco, sont érigés sur des rochers de grès // The fortress ramparts and the old city, listed as a Unesco World Heritage Site, are built on sandstone rocks

die einen Großteil des Charmes der kleinen Hauptstadt des Großherzogtums ausmachen.

Luxemburg, das sind geschäftige Provinz und beschauliche Internationalität auf engstem Raum. An keinem zweiten Ort Europas verbindet sich auf derart unnachahmliche Weise großstädtisches Flair mit kleinstädtischer Gemütlichkeit, und oft liegt beides nur ein paar Seitenstraßen voneinander entfernt.

Luxemburg ist die polyglotteste Hauptstadt des Kontinents, vielleicht sogar

engagés dans un concours de hauteur. On ressent cette tension palpable dans la pierre, si typique pour cette ville riche en contrastes. Or, ce sont justement ces derniers qui font en grande partie le charme de la petite capitale du Grand-Duché.

Luxembourg réunit l'activité provinciale et la quiétude internationale dans un espace réduit. Sans doute n'y a-t-il pas d'autre endroit en Europe où l'ambiance métropolitaine côtoie d'aussi près l'atmosphère détendue d'une petite ville. Souvent, les deux ne sont séparés que par quelques rues.

charm of the Grand Duchy's little capital is derived from its contrasts.

Luxembourg is synonymous with provincial bustle and peaceful internationality in a confined space. No other place in Europe is home to such a unique combination of big-city flair and small-town cosiness – and often the two live only a few side streets apart.

Luxembourg is the most polyglot capital of the European continent, if not the world. With the exception of a few city-states, such as the Vatican or the principality of Monaco, no other

Steile, schmale Straßen führen von der an der Alzette gelegenen Unterstadt Grund zur Oberstadt //
D'étroites ruelles conduisent du faubourg du Grund jusqu'à la ville haute // Narrow streets lead
from the lower city suburb of the Grund to the upper town

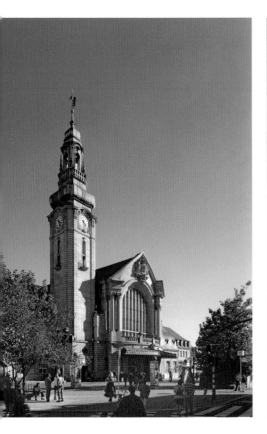

Bahnhof als Kunstwerk: Das Innere der denkmalgeschützten "Gare" wurde vom Künstler Armand Strainchamps in poppige Farben gekleidet // Une gare en tant qu'œuvre d'art: l'intérieur de la gare centrale a été décoré par l'artiste Armand Strainchamps // Work of art: The interior of the railway station has been painted by the artist Armand Strainchamps

der Welt. Denn mit Ausnahme einiger Stadtstaaten wie dem Vatikan oder dem Fürstentum Monaco kann wohl keine Hauptstadt von sich behaupten, dass ausländische Mitbürger die Mehrheit der Bevölkerung stellen. Mehr als 60 Prozent der etwas mehr als 86.000 Bewohner der "Ville de Luxembourg" stammen von jenseits der Landesgrenzen oder besitzen keinen luxemburgischen Pass. Mehr als 140 Nationalitäten leben in dieser Stadt, die sich mit Fug und Recht als einen Schmelztiegel der Kulturen bezeichnen kann.

Babylonischer Sprachenwirrwar

Luxemburgs Internationalität zeigt sich gleich nach der Ankunft an der hauptstädtischen "Gare". An diesem Knotenpunkt der luxemburgischen Eisenbahn treffen Züge aus dem Süden, Norden und Westen des Landes sowie aus dem benachbarten Ausland ein. Vor allem in den Morgenstunden sowie am späten Nachmittag und frühen Abend herrscht auf der größten Bahnstation des Großherzogtums hektisches Treiben. Tausende Pendler aus allen Teilen Luxemburgs sowie ungezählte Grenzgänger bevölkern die Bahnsteige sowie die geräumige Ankunftshalle. Aus Frankreich, Deutschland und Belgien zieht es die Menschen täglich hierher, schnellen Schrittes strömen sie weiter in die Stadt und zu ihren Arbeitsplätzen. Auf dem Weg dorthin erfüllt ein babylonischer Sprachenwirrwarr das Bahnhofsgebäude und den Vorplatz.

Im Jahr 1859 wurde an dieser Stelle Luxemburgs erste "Gare" errichtet, doch sollte die aus Holz gefertigte Fachwerkkonstruktion nur rund 50 Jahre lang Bestand haben. Zu Beginn des 20. Jahrhunderts wich das Gebäude

Luxembourg est la capitale la plus polyglotte du continent, sinon même du monde entier. En effet, mis à part des micro-Etats comme le Vatican ou Monaco, peu de pays ont une capitale où les concitoyens étrangers forment la majorité de la population. Plus de 60% des quelque 86 000 habitants de Luxembourg-ville sont immigrés ou ne disposent pas d'un passeport luxembourgeois. Quelque 140 nationalités se côtoient dans cette ville, qui se qualifie à juste titre de melting-pot des cultures.

Un mélange de langues de type babylonien

L'internationalité de Luxembourg apparaît dès l'arrivée à la gare de la capitale. Ce nœud ferroviaire voit arriver des trains en provenance des quatre coins du pays ainsi que des pays limitrophes. A la plus grande gare du pays, l'agitation est à son comble le matin, en fin d'après-midi et en début de soirée. Les quais de même que le grand hall d'accueil sont alors pris d'assaut par les milliers de navetteurs luxembourgeois et travailleurs transfrontaliers. Ces derniers débarquent de France, d'Allemagne et de Belgique pour se rendre à leur travail en ville. Ceci occasionne un mélange de langues de type babylonien dans le hall et sur le parvis de la gare.

La première gare du Luxembourg a été construite en 1859. Il s'agissait d'une construction en bois, qui n'allait subsister qu'une cinquantaine d'années. Au début du 20e siècle, elle a dû céder sa place à un monumental bâtiment principal, doté d'une imposante tour d'horloge. Conçu par les architectes allemands Alexander Rüdell, Karl Jüsgen et Scheuffel, il a été construit entre 1907

capital city can lay claim to the fact that foreign citizens make up the majority of its population. More than 60% of the somewhat more than 86,000 inhabitants of Luxembourg City hail from beyond the country's borders or are not in possession of a Luxembourg passport. The city is home to more than 140 nationalities, entitling it to identify itself justifiably as a cultural melting pot.

A babel of languages

Luxembourg's internationality becomes apparent immediately upon arrival at the capital's "Gare". The hub of Luxembourg's railway network sees trains arriving from the south, north and west of the Grand Duchy, as well as from neighbouring countries. In particular during the early hours of the morning and in the late afternoon or early evening, the Grand Duchy's biggest railway station is transformed into a hive of bustling activity. Thousands of commuters from all over Luxembourg as well as countless cross-border commuters crowd the station platforms and swarm through the spacious arrival hall. Every day, people stream in from France, Germany and Belgium, and then make their way at high speed into the city and to their place of employment. As they do so, a babel of languages can be heard filling the station building and its forecourt.

This is where, in 1859, Luxembourg's first "Gare" was erected, but the timber construction only survived a mere 50 years or so. During the early 20th century, the structure gave way to plans by German architects Alexander Rüdell, Karl Jüsgen and Scheuffel, who designed the monumental main building

dann den Plänen der deutschen Architekten Alexander Rüdell, Karl Jüsgen und Scheuffel, die das monumentale Hauptgebäude samt imposantem Uhrenturm entworfen hatten und zwischen 1907 und 1913 errichten ließen – im Stil des sogenannten Moselaner Barocks.

In der großen Bahnhofshalle sollte der Blick eines jeden Besuchers zunächst gen Himmel schweifen, denn es ist vor allem die 1994 von dem luxemburgischen Künstler Armand Strainchamps neu gestaltete Decke, die einen in ihren Bann zieht. Sodann lohnt sich auch ein Blick zurück, denn gleich über der Anzeige der Abfahrtszeiten und den Zugängen zu den Gleisen prangt ein riesiges Mosaikfenster, das die Silhouette der Stadt abbildet. Einen kleinen Abstecher lohnt auch der 1913 fertiggestellte Fürstenpavillon im Westflügel des Bahnhofs. Bis 1983 wurde dieser als Empfangsgebäude der großherzoglichen Familie genutzt, doch erst mit der Europäischen Kulturhauptstadt 2007 fand er wieder eine vorübergehende Bestimmung.

Von diesem kulturellen Ereignis, in das die gesamte Großregion eingebunden war, profitierten im Übrigen auch die beiden auf der Rückseite der "Gare" gelegenen Rotunden. Einst boten sie Lokomotiven einen Unterstand, dann dienten sie der nationalen Eisenbahngesellschaft als Werkhallen, bevor sie vor wenigen Jahren aufwändig saniert wurden und seither Raum für kulturelle Veranstaltungen bieten. Mit der Kulturhauptstadt 2007 zog neues Leben in die durch ihre großen Glasfassaden und klassizistischen Formen hervorstechenden Gebäude ein; bereits 1991 waren die Rotunden unter Denkmalschutz gestellt worden.

et 1913, dans un style qualifié de baroque mosellan.

Le hall de la gare se distingue d'abord par son plafond, redécoré par l'artiste luxembourgeois Armand Strainchamps en 1994, mais aussi par l'immense mosaïque de la fenêtre directement au-dessus du panneau d'affichage de l'arrivée et du départ des trains, juste devant l'accès aux quais. Cette mosaïque représente la silhouette de la ville. Le pavillon de l'aile ouest de la gare, datant de 1913, servait de bâtiment d'accueil pour la famille grand-ducale jusqu'en 1983. Ensuite, il lui a fallu attendre 2007 et l'année culturelle pour trouver une nouvelle affectation temporaire.

En 2007, Luxembourg était Capitale européenne de la culture, au même titre que l'ensemble de la Grande Région. Cet événement a par ailleurs profité aux deux rotondes, situées à l'arrière de la gare. Autrefois, elles servaient de garages pour locomotives, puis d'ateliers à la société nationale des chemins de fer. Il y a quelques années, elles ont été rénovées en profondeur et, depuis, elles accueillent des manifestations culturelles. L'année culturelle 2007 a apporté un nouveau souffle à ces bâtiments, monuments classés au patrimoine depuis 1991, qui se distinguent par leurs grandes façades vitrées et leurs formes classicistes.

Situé à un petit quart d'heure de marche du centre-ville, le quartier de la gare est la porte sud de Luxembourg. S'il attire avant tout les noctambules et les amateurs du quartier rouge, il dispose aussi de cafés et de restaurants internationaux qui valent le détour.

with its imposing clock tower. Construction was completed between 1907 and 1913 in the so-called Moselle Baroque style.

Visitors entering the great station hall should first of all cast their eyes upwards, since it is above all the ceiling, newly designed by Luxembourg artist Armand Strainchamps in 1994, that catches the attention. A look towards the back of the station – directly above the board announcing the departure times and the access to the platforms – then reveals a prominently placed mosaic window featuring the silhouette of the city. A small detour into the royal pavilion in the station's west wing, completed in 1913, is also recommended. It was used as a reception room for the Grand-Ducal family until 1983, and it was not until 2007 that it once again found a temporary purpose as part of the European Capital of Culture event.

Incidentally, this cultural event, which involved the entire Greater Region, also gave a new lease of life to the two rotundas located behind the station. They used to house the country's locomotives before being turned into a workshop for the national railway company. A few years ago, they were splendidly restored and have since provided a venue for numerous cultural events. The 2007 European Capital of Culture saw an infusion of new energy into the buildings, which boast impressive glass façades and classical structures. The rotundas were placed under a preservation order back in 1991.

The station area is the southern gateway of Luxembourg and no more than a 15-minute walk from the centre of the city. The area is above all a haven for nocturnal revellers and those seeking

Die Rotunden im Bahnhofsviertel: Wo einst Lokomotiven gewartet wurden, finden Kulturevents statt // Les rotondes du quartier de la gare n'abritent plus des locomotives, mais servent à l'organisation d'événements culturels // The rotundas near the railway station now host cultural events

Brücken überspannen das begrünte Petruss-Tal // Des ponts enjambent la vallée de la Pétrusse // The valley of the Pétrusse is spanned by several bridges

Das Bahnhofsviertel ist das südliche Tor Luxemburgs und liegt kaum mehr als 15 Fußminuten vom Zentrum der Stadt entfernt. Das Quartier ist vor allem ein Dorado für Nachtschwärmer und Rotlichtabenteurer, doch auch das eine oder andere Café und internationale Restaurant lohnt einen Besuch.

Nichts für Höhenängstliche

Im Schatten des Uhrturms treffen zwei der wichtigsten Verkehrsadern aufeinander, die den Besucher in das alte Luxemburg lotsen: die Avenue de la Gare sowie die Avenue de la Liberté. Wer sich per pedes auf den schnellsten Weg in Richtung Zentrum machen möchte, nimmt am besten die Avenue de la Gare. Diese führt vorbei an zahlreichen Geschäften sowie Cafés und Restaurants, bis der Fußgänger nach einigen hundert Metern an den Viadukt gelangt, der gemeinhin Passerelle genannt wird.

Zwischen 1859 und 1861 als Verbindung zwischen der Oberstadt und dem Hauptbahnhof errichtet, überspannen auf insgesamt 290 Metern Länge 24 Bögen das darunterliegende Tal, das seinen Namen von der Petruss hat, einem Bach, dessen Bett in den 1930er-Jahren kanalisiert wurde. Benannt ist die Petruss übrigens nicht nach dem Apostelfürsten Petrus, vielmehr stammt die Bezeichnung vom lateinischen "petrosa", zu Deutsch "Stein".

Die Passerelle, von vielen Luxemburgern auch schlicht "Alte Brücke" genannt, zu passieren, ist nichts für Höhenängstliche: Unverstellt und weitgehend ungesichert fällt der Blick des Passanten über das steinerne Geländer hinunter in einen schluchtähnlichen Abgrund. Doch wer schwindelfrei ist,

Une hauteur vertigineuse

A l'ombre de la tour-horloge, deux des principales artères de la capitale se rencontrent: l'avenue de la Gare et l'avenue de la Liberté. En les empruntant, on accède au centre historique de la ville. Le chemin le plus court longe les nombreux magasins, cafés et restaurants de l'avenue de la Gare. Quelques centaines de mètres plus loin, on se retrouve sur un viaduc appelé Passerelle.

Ce pont a été construit entre 1859 et 1861 pour relier la ville haute au quartier de la gare. D'une longueur de 290 mètres et doté de 24 arches, il surplombe la vallée de la Pétrusse, qui doit son nom au ruisseau qui la traverse. De son côté, la Pétrusse, canalisée dans les années 1930, n'a rien à voir avec l'apôtre St-Pierre. Son nom est dérivé du latin "petrosa", soit "pierre" en français.

Souvent, les Luxembourgeois appellent la Passerelle le "vieux pont". Son passage n'est pas à recommander si on est sujet aux vertiges. En effet, du haut de ce pont, en grande partie sécurisé par une simple balustrade en pierre, le regard du passant est attiré vers le vide. Si on ne craint pas la hauteur, on appréciera cette vue imprenable sur la vallée de la Pétrusse. 45 mètres plus bas, une aire de parking d'environ sept hectares est entourée d'une grande variété d'arbres et de plantes ainsi que d'un vaste pré.

En 1867, après le démantèlement de la forteresse, l'architecte paysagiste français Edouard André avait été chargé d'aménager cet espace vert. Autrefois, ce vaste terrain avait été l'objet de tous les intérêts et de toutes les convoitises militaires. A présent, la vallée a l'allure d'une oasis verte qui sépare les deux

red-light adventures, but there are some cafés and international restaurants that are also well worth a visit.

Not for those afraid of heights

In the shade of the clock tower is the spot where two of the city's most important traffic arteries meet, leading the visitor to the old part of Luxembourg: the Avenue de la Gare and the Avenue de la Liberté. Those keen to reach the centre on foot as swiftly as possible had best take the Avenue de la Gare, which is lined with several shops, cafés and restaurants for a few hundred metres before it reaches the viaduct, commonly known as the Passerelle.

Erected between 1859 and 1861 to connect the upper town with the central station, the viaduct's 24 arches span the underlying valley for a total length of 290 metres. The valley has taken its name from the Pétrusse, a stream that was canalised during the 1930s. Incidentally, the Pétrusse was named not after the apostle Saint Peter, but derives its name from the Latin word "petrosa", meaning "stone" in English.

Crossing the Passerelle, also referred to as the "old bridge" by many locals, is not for those with no head for heights: passers-by feel almost compelled to look downwards – over the simple and largely unprotected stone balustrade – onto a ravine-like precipice. For those who do not suffer from vertigo, the view is incomparable, for the valley of the Pétrusse, which lies about 45 metres below the Passerelle, winds its way through approximately seven hectares of beautiful park grounds, boasting a variety of trees and plants as well as spacious lawns.

wird Gefallen finden an dieser unvergleichlichen Aussicht. Schließlich durchzieht das rund 45 Meter unterhalb der Passerelle liegende Petrusstal eine etwa sieben Hektar große Parkanlage, die von unterschiedlichsten Bäumen, Pflanzen sowie weiträumigen Wiesen gesäumt wird.

Im Jahr 1867, nach dem Schleifen der Festung, hatte man den französischen Landschaftsarchitekten Edouard André damit beauftragt, das einst vor allem militärischen Interessen und Ansprüchen dienende Gelände in einen städtischen Park umzugestalten. Einer

principaux quartiers d'affaires de la ville, la ville haute et le plateau Bourbon. Quand on se trouve en bas, on remarque à peine l'agitation qui sévit quelques étages plus haut.

A partir de la Passerelle, il n'y a toutefois pas que la vue vers le bas qui s'impose. En regardant devant soi, on peut apprécier la silhouette de la vieille ville de Luxembourg, les trois tours de la cathédrale ainsi que le casino.

Ce casino, qui s'appelait autrefois Casino Bourgeois, a été conçu entre 1880 et 1882 par les architectes luxembourgeois

After the dismantling of the fortress in 1867, the French landscape architect Edouard André was commissioned to convert these grounds, previously used in particular for military interests and purposes, into a municipal park. A green oasis, the valley today separates Luxembourg's two business quarters, the upper town and the Bourbon plateau. Once down in the valley, one is hardly aware of the hustle and bustle above.

The view from the Passerelle is not limited just to a glance into the depths of the valley, on the contrary: looking

Die Adolphe-Brücke wurde 1903 eingeweiht; im Hintergrund die Kathedrale Notre-Dame // Le pont
Adolphe a été inauguré en 1903; en arrière-plan la cathédrale Notre-Dame // The Adolphe bridge
was inaugurated in 1903; Notre-Dame Cathedral in the background

Casino Luxemburg – Forum für zeitgenössische Kunst // Casino Luxembourg – Forum d'art contemporain // Casino Luxembourg – Forum of Contemporary Art

grünen Oase gleich, trennt das Tal heute die beiden geschäftigen Viertel Luxemburgs, die Oberstadt und das Plateau Bourbon. Wer dort unten weilt, bekommt nur wenig mit vom Trubel hoch über ihm.

Doch von der Passerelle lohnt nicht nur ein Blick in die Tiefe, im Gegenteil: Wer nach vorne schaut, erblickt die Silhouette der Altstadt Luxemburgs, die drei schlanken Türme der Kathedrale sowie das Casino.

Das Casino, einst Casino Bourgeois, wurde zwischen 1880 und 1882 von den luxemburgischen Architekten Pierre und Paul Funck errichtet. Hier pulsierte jahrzehntelang das kulturelle und gesellschaftliche Leben der Hauptstadt. Später, bis in die 1990er-Jahre hinein, bildete das Gebäude das kulturelle Zentrum der Europäischen Gemeinschaft in Luxemburg. Zu neuer Blüte erwachte das Casino jedoch im Zuge der Europäischen Kulturstadt 1995, als Luxemburg erstmals Ausrichter dieses Events war, das seit 2004 Kulturhauptstadt Europas heißt. Nach seinem Umbau dient das Casino heute als Schaufenster international beachteter Ausstellungen und beherbergt das Forum für zeitgenössische Kunst.

Im Zeichen der Kathedrale

Vom Casino aus gelangt man innerhalb weniger Fußminuten zur Kathedrale Notre Dame, dem katholischgeistlichen Zentrum des Landes. Im Jahr 1613 als Jesuitenkirche errichtet und 1870 von Papst Pius IX. zur Kathedrale erhoben, ist der spätgotische und vom Renaissancestil beeinflusste Bau Sitz des Erzbischofs von Luxemburg. Das Kirchenschiff und vor allem der Altarraum der Kathedrale werden

Pierre et Paul Funck. Pendant des décennies, il a été le cœur de la vie culturelle et sociale de la capitale. Plus tard, jusqu'aux années 1990, ce bâtiment accueillait le centre culturel des Communautés européennes au Luxembourg. En 1995, lorsque Luxembourg était une première fois Ville européenne de la culture, événement qui depuis 2004 s'intitule Capitale européenne de la culture, le casino a trouvé une nouvelle affectation. Après avoir été rénové, le désormais Casino Luxembourg – Forum d'art contemporain sert aujourd'hui de vitrine à des expositions de renommée internationale.

Sous le signe de la cathédrale

A quelques pas du casino, la cathédrale Notre Dame est le centre de la vie catholique et spirituelle du pays. Cette ancienne église jésuite, construite en 1613, a été élevée au rang de cathédrale en 1870 par le pape Pie IX. Aujourd'hui, elle est le siège de l'archevêque de Luxembourg. Il s'agit d'une construction de styles gothique tardif et Renaissance. La nef et l'autel sont dominés par une tribune au généreux décor Renaissance ainsi que par le maître-autel avec la statue de Notre Dame, la sainte patronne de la ville et du pays.

Les trois tours de la cathédrale sont restées le symbole de la ville de Luxembourg – même si, ailleurs, des tours de bureaux bien plus élevées dominent le paysage. L'apparence artistique de l'ancienne église jésuite a été considérablement influencée par Daniel Müller. C'est cet architecte, originaire de Saxe, qui a entre autres conçu le portail principal richement orné avec les statues de saint Ignace de Loyola et de la Sainte Vierge.

ahead, the silhouette of Luxembourg's old town can be spotted, including the three slender steeples of the Cathedral and the Casino.

The Casino, once called Casino Bourgeois, was built between 1880 and 1882 by Luxembourg architects Pierre and Paul Funck. For decades, this used to be the hub of the capital's cultural and social life. Later and into the 1990s, the building played the role of the cultural centre of the European Community in Luxembourg. The Casino was given a new lease of life as part of the 1995 European City of Culture event – the first time Luxembourg was the organiser of what has been known as the European Capital of Culture since 2004. Following reconstruction work, the Casino today showcases internationally renowned exhibitions and is home to the "Forum of Contemporary Art".

Under the sign of the Cathedral

A couple of minutes' walk from the Casino is the Cathedral of Notre Dame (Our Lady), the Catholic religious heart of the country. Erected in 1613 as a Jesuit church and elevated to the rank of Cathedral in 1870 by Pope Pius IX, this late Gothic and Renaissance-inspired building is the seat of the archbishop of Luxembourg. The nave and in particular the altar room of the Cathedral are dominated by a gallery featuring an opulent Renaissance décor as well as the high altar with the statue of the Virgin Mary ("Our Lady"), the patron saint of the city and country.

The three slender spires of the Cathedral of Our Lady remain Luxembourg's most famous landmark – despite the fact that much higher office towers elsewhere dominate the skyline.

dominiert von einer Empore mit üppigem Renaissancedekor sowie dem Hochaltar mit der Marienstatue Unserer Lieben Frau, der Schutzheiligen von Stadt und Land.

Die drei schmalen Türme der Liebfrauenkathedrale bilden noch immer das Wahrzeichen Luxemburgs – obwohl andernorts weitaus höhere Bürotürme die Skyline beherrschen. Erheblichen Einfluss auf das künstlerische Erscheinungsbild von Luxemburgs Bischofskirche hatte Daniel Müller. Der sächsische Baumeister schuf unter anderem das kunstvoll verzierte Hauptportal mit den Statuen des Heiligen Ignatius von Loyola und einer prächtigen Muttergottesstatue.

Auch das bronzene Seitenportal, vom Luxemburger Auguste Trémont entworfen und errichtet, lohnt einen Abstecher. Zumal das Trémont-Portal in den Erweiterungsbau aus dem Jahr 1938 und hinunter in die Krypta der Kathedrale führt, in der die Mitglieder der großherzoglichen Familie ihre letzte Ruhe finden. In der Fürstengruft findet sich unter anderen das Grabmal König Johanns des Blinden.

Ebenso liegt hier die von den Luxemburgern bis heute verehrte Großherzogin Charlotte begraben. Im Jahr 1919, nach der Abdankung ihrer Schwester Marie-Adelheid, hatte sie den Thron bestiegen und entscheidenden Anteil daran, dass die luxemburgische Monarchie gerettet wurde. Bis 1964 stand Charlotte an der Spitze des Großherzogtums. Gleich neben der Kathedrale, auf der Place de Clairefontaine, wurde ihr zu Ehren ein Denkmal errichtet: "Mir hun iech gäer", steht auf dem Sockel geschrieben; eine Huldigung an die unvergessene Großherzogin, die 1985 verstarb.

Le portail latéral en bronze, réalisé par le Luxembourgeois Auguste Trémont, est tout aussi impressionnant. Le portail Trémont permet en outre d'accéder à l'extension de la cathédrale, achevée en 1938, et de descendre à la crypte où reposent les cercueils des membres de la famille royale, parmi lesquels on retrouve le roi Jean l'Aveugle.

C'est également ici qu'est enterrée la Grande-Duchesse Charlotte, particulièrement vénérée par les Luxembourgeois. Elle est montée sur le trône en 1919, après l'abdication de sa sœur Marie-Adélaïde. Par la suite, elle a joué un rôle considérable pour le maintien de la monarchie grand-ducale. Charlotte a été chef de l'Etat luxembourgeois jusqu'en 1964. Un monument a été érigé en son honneur juste à côté de la cathédrale, place Clairefontaine. Le socle porte l'inscription "Mir hun iech gäer" ("Nous vous aimons") en hommage à cette grande-duchesse restée dans les mémoires après son décès en 1985.

Daniel Müller, the Saxon master builder, is owed much credit for the artistic appearance of Luxembourg's bishop church. Among others, he created the artistically ornate main portal featuring the statues of Saint Ignatius of Loyola and the magnificent statue of the Madonna.

The bronze side portal, designed and constructed by Luxembourger Auguste Trémont, is also worth a detour, in particular since this Trémont portal leads to the extension dated 1938 and down to the crypt of the Cathedral, in which the members of the Grand-Ducal family find their final resting place. The royal crypt houses the tomb of King John the Blind, among others.

Grand Duchess Charlotte, revered until this day, also lies buried here. Following the abdication of her sister Marie-Adélaïde in 1919, she acceded to the throne and played a decisive role in saving the Luxembourg monarchy. Charlotte remained at the head of the Grand Duchy until 1964. Right next to the Cathedral, on the Place de Clairefontaine, a monument was erected in her honour: the inscription on the plinth reads "Mir hun iech gäer" (We love you), a tribute to the unforgettable Grand Duchess, who died in 1985.

Die Place Clairefontaine mit dem Denkmal von Großherzogin Charlotte; im Hintergrund die ranken Türme der Kathedrale // La place Clairefontaine et le monument dédié à la Grande-Duchesse Charlotte; en arrière-plan les tours de la cathédrale // The Place Clairefontaine with the monument to Grand Duchess Charlotte; the towers of the Cathedral in the background

Das Außenministerium im Regierungsviertel // Le ministère des Affaires étrangères dans le quartier gouvernemental // The Ministry of Foreign Affairs in the government quarter

Gefragter Partner

An den Clairefontaine-Platz grenzt das Regierungsviertel. Vom Charlotte-Denkmal aus sind denn auch auf einen Blick das Außen-, Finanz- sowie das Landwirtschaftsministerium zu sehen; außerdem das Staatsministerium, Sitz des luxemburgischen Premierministers. Es kommt nicht selten vor, dass Staatsmänner aus fernen Ländern diesen Platz queren, ist das Großherzogtum Luxemburg doch in- und außerhalb der Europäischen Union ein gern und entsprechend oft gefragter Partner und Mittler.

Einst fand sich an diesem Platz ein Unterschlupf, und so geht sein Name auf ein sogenanntes Refugium der nahe der belgischen Grenze gelegenen Abtei Clairefontaine zurück. Im Jahr 1933 wurde der Zufluchtsort jedoch abgetragen; seither ist der Platz kaum geeignet, besonderen Schutz zu bieten. Vielmehr prägen Offenheit und entspanntes Treiben die Szenerie, passieren Regierungsbeamte und Touristen das Pflaster.

Stadtresidenz der großherzoglichen Familie

Keine drei Minuten vom Regierungsviertel entfernt, an der Rue du Marché aux Herbes gelegen, ragt das großherzogliche Palais empor, die Stadtresidenz der eigentlich im 25 Kilometer nördlich der Stadt gelegenen Schloss Berg residierenden Herrscherfamilie. Wenig Prunk, kein Protz – auf diesen Nenner lässt sich die Renaissance-fassade bringen.

Errichten ließ den Bau im 16. Jahrhundert der spanische Gouverneur Peter Ernst von Mansfeld, weshalb die Fassade auch spanisch-maurische Elemente

Un partenaire apprécié

La place Clairefontaine jouxte le quartier gouvernemental. A partir du monument, on aperçoit les ministères des Affaires étrangères, des Finances et de l'Agriculture ainsi que le ministère d'Etat, le siège du Premier ministre luxembourgeois. Il est d'ailleurs fréquent de rencontrer des dirigeants de pays plus ou moins exotiques sur cette place. En effet, à l'intérieur comme à l'extérieur de l'Union européenne, le Luxembourg est un partenaire et un médiateur très apprécié.

Autrefois, cet endroit accueillait un refuge appartenant à l'abbaye Clairefontaine, située à proximité de la frontière belge. Il a été démoli en 1933 et, depuis, la place n'offre plus guère de protection particulière. Elle se distingue plutôt par son ouverture et voit défiler aussi bien des fonctionnaires du gouvernement que des touristes.

La résidence citadine de la famille grand-ducale

A quelques minutes de marche du quartier des ministères, le palais grand-ducal se dresse rue du Marché-aux-herbes. Il s'agit de la résidence citadine de la famille grand-ducale qui, habituellement, réside au château de Berg, à 25 kilomètres au nord de la ville. La façade Renaissance du palais ne se distingue pas par ses éléments tape-à-l'œil.

Le bâtiment a été construit au 16e siècle, sous le règne du prince allemand Pierre Ernest de Mansfeld, gouverneur espagnol de Luxembourg. Voilà qui explique les éléments hispano-mauresques qui ornent la façade. Les appartements des "Grand-Ducs", comme on appelle

Sought-after partner

The Place de Clairefontaine is bordered by the government quarter. From the Charlotte monument, a single glance takes in the Ministry of Foreign Affairs, the Ministry of Finance as well as the Ministry of Agriculture, and finally, the Ministry of State, seat of Luxembourg's Prime Minister. It is not unusual to see statesmen from distant countries crossing this square, since the Grand Duchy of Luxembourg is a well-liked and therefore often sought-after partner and mediator within and outside the European Union.

In the past, this open space used to accommodate a shelter and so its name therefore goes back to the refuge named after the Clairefontaine abbey close to the Belgian border. The refuge was demolished in 1933, however, since when this site is hardly likely to be associated with offering any kind of protection. Rather, it is a setting characterised by open space and a mood of relaxed bustle, with government employees and tourists crossing its paving stones.

City residence of the Grand-Ducal family

Just a few minutes from the government quarter, on the Rue du Marché aux Herbes, is where the Grand-Ducal palace, the city residence of the ruling family, is located. The principal family residence is in actual fact Berg Castle, situated 25 kilometres north of the city. Few signs of pomp and a lack of showiness sum up the Renaissance façade of the palace.

The building came into being during the 16th century on the orders of the

aufweist. In der zweiten und dritten Etage finden sich die Räumlichkeiten der "Großherzogs", wie die Mitglieder der Fürstenfamilie von den Luxemburgern liebevoll genannt werden.

Die geschmackvolle Bescheidenheit und relative Schlichtheit des Palasts, dessen älteste Teile bereits aus dem 13. Jahrhundert stammen, dürfte allerdings auch der ursprünglichen Bestimmung des Gebäudekomplexes geschuldet sein. Denn einst fand sich an diesem Ort Luxemburgs erstes Rathaus, das jedoch 1554 durch eine Pulverexplosion fast völlig zerstört wurde. Nur 20 Jahre später ließ man das Gebäude unter der Regie Mansfelds wieder errichten und fortan, bis ins Jahr 1890 hinein, weiterhin als "Hôtel de Ville" der Hauptstadt nutzen.

Seither dient das Palais den Monarchen als Stadtresidenz, und einige ihrer eindrucksvollen Foyers, Säle und Salons mit den stilvollen Stuckdecken, hochwertigen Möbeln, Gobelins und kostbaren Gemälden können besichtigt werden – wenn auch nur in den Sommermonaten. Im Anbau des Palais von 1860 tagt die Abgeordnetenkammer Luxemburgs, das Parlament, zu dessen Eigenheiten gehört, dass Beifalls- und Unmutsbekundungen wie Klatschen oder Klopfen bei regulären Sitzungen der Chamber nicht üblich sind.

Wer nun wissen will, ob sich das Großherzogliche Paar tatsächlich hinter den Palaismauern aufhält, sollte auf zwei Dinge achten: Patrouillieren gleich zwei Palastwachen vor dem Portal und ist zugleich die luxemburgische Nationalflagge auf dem Dach gehisst, dann weilt der Großherzog just in jenem Moment in seiner Stadtresidenz.

affectueusement les membres de la famille régnante, se trouvent aux deuxième et troisième étages.

L'apparence assez modeste du palais, dont les parties les plus anciennes datent du 13e siècle, est sans doute due à la première affectation de ce complexe d'immeubles. En effet, cet endroit hébergeait autrefois le premier hôtel de ville de Luxembourg. Celui-ci fut ravagé suite à une explosion de poudre en 1554. 20 ans plus tard, il fut reconstruit sous la direction de Mansfeld. Il allait continuer à servir d'hôtel de ville jusqu'en 1890.

Depuis, il sert de résidence citadine aux souverains. Pendant la saison estivale, quelques-uns de ses foyers, salles et salons les plus impressionnants sont ouverts au public, qui y découvre notamment du mobilier, des gobelins et des tableaux de grande valeur. Une annexe du palais, achevée en 1860, héberge le parlement luxembourgeois, la Chambre des députés. Ici, les manifestations de joie ou de désapprobation comme les applaudissements ne sont pas d'usage lors des sessions ordinaires.

Pour savoir si le couple grand-ducal est présent dans l'enceinte du palais, il faut veiller à deux choses: d'abord, il doit y avoir deux gardes en train de patrouiller devant le portail; ensuite, le drapeau national luxembourgeois doit être hissé sur le toit. Si ces deux conditions sont réunies, cela veut dire que le Grand-Duc occupe sa résidence citadine à cet instant précis.

Même s'il occupe l'ancien hôtel de ville, le chef de l'Etat n'a toutefois rien à voir avec la gestion des affaires

Spanish Governor, Peter Ernest of Mansfeld, which is why the façade also features Spanish-Moorish elements. The second and third floors are home to the rooms of the "Großherzogs", as the members of the royal family are lovingly called by the Luxembourg people.

The tasteful modesty and unassuming simplicity of the palace, the oldest parts of which date back to the 13th century, may nevertheless have something to do with the original purpose of this building complex. Originally, this is where Luxembourg's first town hall was located, only to be fully destroyed in 1554 by a gunpowder explosion. It was not until 20 years later that the building was once again erected under the supervision of Mansfeld, after which it continued to fulfil the function of the capital's "Hôtel de Ville" until 1890.

Since then, the palace has been the city residence of the monarchy. Some of its impressive foyers, banquet halls and salons – featuring stylish stuccoed ceilings, valuable furniture, Gobelin tapestries and precious paintings – are open to the public, albeit only during the summer months. An extension was added to the palace in 1860 and nowadays houses the Chamber of Deputies, Luxembourg's Parliament, which, somewhat unusually, does not commonly manifest its approval or displeasure by applause or fist-pounding on tables, at least not during an ordinary session of the Chamber.

Those curious to know whether the monarch is actually in residence should watch out for two things: two palace guards patrolling the front gate and the Luxembourg national flag hoisted on the roof indicate that the

Die spanisch-maurische Fassade sowie einer der Empfangssäle des großherzoglichen Palastes // Les ornements hispano-mauresques du palais grand-ducal ainsi que l'une de ses salles de réception // Spanish-Moorish elements on the façade of the Grand-Ducal palace and one of its impressive receptions rooms

Gaukler vor dem Rathaus auf der Place Guillaume, im Volksmund Knuedler genannt // Des saltimbanques devant l'hôtel de ville sur la place Guillaume, également appelée Knuedler // Tumblers performing in front of the city hall on Place Guillaume, also called Knuedler

Die Geschicke der Hauptstadt lenken unterdessen andere, und während das Staatsoberhaupt im alten Rathaus residiert, geht das Stadtoberhaupt, also der Bürgermeister, auf dem nahe gelegen Knuedler seinen Amtsgeschäften nach. Seinen volkstümlichen Namen hat der Platz, der eigentlich den Namen Wilhelms II., des einstigen Königs der Niederlande und Großherzogs von Luxemburg, trägt, vom Knoten der Mönche, dem "Knuet".

Denn mehr als 400 Jahre lang stand an diesem Ort ein Franziskanerkloster, bis Ende des 18. Jahrhunderts die Franzosen das Gebäude beschlagnahmten und die Klostermauern abgetragen wurden. Im Jahr 1830 begann dann der Bau des neuen Rathauses – im neoklassizistischen Stil errichtet, lauern zu beiden Seiten der breiten Treppe zwei bronzene Löwen.

Historie auf Schritt und Tritt

Der Knuedler ist Luxemburgs Marktplatz, doch mehr Leben herrscht in aller Regel auf der nur wenige Meter entfernten Place d'Armes, dem im doppelten Sinne des Wortes "Paradeplatz" der Hauptstadt. Inmitten der Fußgängerzone gelegen, gilt er als der Treffpunkt Luxemburgs schlechthin. Vor allem in den Mittagsstunden mutet der Platz wie ein riesiges Freiluftcafé an: Nur schwer ist an den Tischen der zahlreichen Restaurants und Bistros ein Stuhl zu ergattern, der frankophile Charme des von Lindenbäumen gesäumten Platzes kommt jetzt voll zur Geltung.

Luxemburgs zerklüftete Geografie, die verwinkelten Wege und engen Gassen führen den Besucher oft unverhofft und auf verschlungenen Pfaden hinein

municipales. Celle-ci est en effet assurée place Guillaume II, où siège le bourgmestre de la Ville. En langage populaire, cette place est appelée Knuedler, un nom qu'elle doit aux moines qui y circulaient autrefois et au nœud ("Knuet" en luxembourgeois) de leur ceinture. Guillaume II était quant à lui roi des Pays-Bas et grand-duc du Luxembourg au 19e siècle.

Pendant plus de quatre siècles, un monastère de franciscains se trouvait sur cette place. Il fut confisqué par les Français à la fin du 18e siècle. Les murs du monastère furent alors démolis et, en 1830, la construction du nouvel hôtel de ville fut entamée. Devant ce bâtiment néoclassique, deux lions en bronze montent la garde des deux côtés des escaliers.

L'histoire est partout

Le Knuedler est aussi la place du marché de Luxembourg. Néanmoins, la place d'Armes, à quelques pas de là, est bien plus animée. Située au cœur de la zone piétonne, cette place est un lieu de rendez-vous incontournable pour les Luxembourgeois. Vers midi, elle prend même des allures de gigantesque terrasse de café. Il est alors difficile d'avoir une table devant l'un des nombreux restaurants et cafés de cette place parsemée de tilleuls, dont le charme francophile est particulièrement affirmé à cette heure de la journée.

Les étroites ruelles de la ville de Luxembourg plongent inévitablement les visiteurs dans l'histoire plus que millénaire de la ville. Néanmoins, ils sont sans doute nombreux à traverser ces rues et ces places sans se rendre compte qu'ils se trouvent à des endroits hautement historiques.

Grand Duke is in his city residence at that moment.

The destiny of the capital meanwhile rests with others. While the Head of State resides in the former town hall, for his part the head of the city, namely the mayor, carries out his work on the Knuedler located nearby. This square, which in actual fact was named after William II, former King of the Netherlands and Grand Duke of Luxembourg, derives its more popular name from the knot of the monks, the "Knuet".

Indeed, for more than 400 years, this site used to be home to a Franciscan monastery, until the French took over the building at the end of the 18th century and the monastery walls were torn down. The construction of the new town hall started in 1830 – erected in the neoclassical style, it is graced by two bronze lions on either side of its broad flight of outside steps.

History at every step

The Knuedler is Luxembourg's market square, but generally there is more activity on the nearby Place d'Armes, the parade square of the capital in more sense than one. Located in the heart of the pedestrian zone, it is Luxembourg's quintessential meeting place. In particular during lunchtime hours, the square resembles a huge open-air café: finding an empty table at one of the numerous restaurants and bistros can be quite a challenge. The square, lined with lime trees, embodies Francophile charm at its best.

Luxembourg's craggy geography, its winding streets and narrow lanes often lead the visitor, without warning, via meandering paths into the city's

Die Place d'Armes ist die von Terrassencafés gesäumte "gute Stube" der Hauptstadt // La Place d'Armes et ses terrasses de café constituent le "salon" de la capitale // The Place d'Armes and its cafés are Luxembourg's meeting place

in die mehr als tausendjährige Stadthistorie. Und so mancher geht wohl achtlos durch Straßen und über Plätze, ohne zu ahnen, dass er sich an geschichtlich bedeutsamem Ort befindet.

Beispielsweise auf dem Fischmarkt, an dessen einstige Bestimmung als Markt heute nahezu nichts mehr erinnert. Einen Steinwurf vom Palast entfernt, kreuzten sich hier einst die beiden wichtigen Römerstraßen von Trier nach Reims sowie von Köln nach Metz. An gleicher Stelle befand sich auch ein kleiner Turm, den Graf Siegfried im Jahr 963 von der Trierer Abtei Sankt Maximin ertauschte und der gewissermaßen die Wiege der Stadt und des ganzen Landes darstellt.

Hier, auf dem sogenannten Bockfelsen gelegen, ließ Siegfried seine Burg errichten, die den Namen "Lucilinburhuc" trug, aus welchem sich später der Begriff "Lützelburg" und der heutige Name "Luxemburg" herausbilden sollten.

Der Fischmarkt, der auch schon die Bezeichnungen Alt- und Käsemarkt trug, ist gewissermaßen die Keimzelle von Stadt und Land. Von hier aus nahm die Geschichte der Festung Luxemburg sowie des späteren Großherzogtums ihren Lauf. Daran erinnert bis heute die St. Michaelskirche, das älteste noch erhaltene sakrale Bauwerk der Hauptstadt, an dessen Stelle sich früher Siegfrieds Burgkapelle befand. Häufig verändert, mehrfach zerstört und immer wieder aufgebaut, vereint das Gotteshaus heute Elemente romanischer, gotischer und barocker Architektur.

Ein wenig abseits des Fischmarkts, in einer kleinen Gasse gelegen, erinnert die Aufschrift eines pittoresken Hauserkers an den Stolz und das Selbstverständnis

Prenons par exemple le Marché-aux-Poissons, où plus grand-chose n'évoque encore son affectation d'origine. A quelques pas du palais, ce quartier se trouvait autrefois à l'intersection d'importantes voies romaines menant de Trèves à Reims ainsi que de Cologne à Metz. Au même endroit, il y avait une petite tour, que le comte Sigefroi avait reçu en échange de l'abbaye St-Maximin de Trèves en 963 et qui représentait en quelque sorte le berceau de la ville et du pays tout entier.

C'est aussi sur ce qui s'appelle le rocher du Bock que Sigefroi a fait construire son château, baptisé Lucilinburhuc. Plus tard, il allait s'appeler Lützelburg, nom à partir duquel est dérivé l'actuel Luxembourg.

Le Marché-aux-Poissons, que l'on a aussi appelé vieux marché ou encore marché au fromage, est d'une certaine manière le noyau de la ville et du pays. C'est ici qu'a commencé l'histoire de la forteresse de Luxembourg de même que celle du futur Grand-Duché. Cette histoire est évoquée par l'église St-Michel, le plus ancien lieu de culte encore conservé de la capitale, qui a pris la place de l'ancienne chapelle du château de Sigefroi. Souvent réaménagée, détruite à plusieurs reprises et reconstruite à chaque fois, cette église réunit à présent des éléments architecturaux romans, gothiques et baroques.

Un peu à l'écart du Marché-aux-Poissons, dans une petite ruelle, l'encorbellement d'une maison pittoresque affiche une inscription qui illustre la fierté et les convictions des Luxembourgeois: "Mir wölle bleiwe wat mir sin" ("Nous voulons rester ce que nous sommes"). Cette devise nationale a pris une dimension particulière sous l'occupation

history, which spans over a thousand years. And yet a number of people probably wander heedlessly through the city's streets and across its squares without suspecting that they are in a place of historical significance.

The "Fëschmaart" (Fish Market) is a good example with little today that alludes to its original purpose as a market. It is situated only a stone's throw away from the palace, and is the spot where once upon a time two important Roman roads crossed, one linking Trier to Reims and the other Cologne to Metz. This was also the location of the small fort that Count Siegfried received in exchange from the Abbey St Maximin in Trier in 963 and which went on to become the birthplace of the city and the entire country.

It is here, on the so-called Bock, that Siegfried built his castle, which was given the name of "Lucilinburhuc" and later that of "Lützelburg", from which the current name "Luxembourg" is derived.

The Fish Market, alternatively referred to as the Old Market or the Cheese Market, is to a certain extent the nucleus of the city and the country. This was the starting point of the history of the fortress of Luxembourg and later that of the Grand Duchy. A reminder of this is St Michael's Church, the oldest surviving religious structure of the capital, located on the site where Siegfried's castle chapel once stood. Modified, destroyed and rebuilt several times, this house of worship today combines elements of Romanesque, Gothic and Baroque architecture.

Just a little way from the Fish Market, in a narrow street, there is an inscription

Das Nationalmuseum für Geschichte und Kunst // Le Musée national d'histoire et d'art //
The National Museum of History and Art

In alten Patrizierhäusern untergebracht: das Historische Museum der Stadt Luxemburg // Le Musée d'histoire de la Ville de Luxembourg a été aménagé dans d'anciennes maisons patriciennes // The Luxembourg City History Museum is located in restored patrician houses

der Luxemburger: "Mir wölle bleiwe wat mir sin", steht dort geschrieben. Das nationale Motto gewann nicht zuletzt während der deutschen Besatzungen im Ersten und Zweiten Weltkrieg besondere Bedeutung. Und mag Luxemburg auch ein internationales Pflaster sein – die Eigenständigkeit zu wahren und die Identität zu pflegen, bedeutet den Einheimischen sehr viel.

Dominiert wird der "Fëschmaart" seit einigen Jahren von der kolossalen Steinfassade des Nationalmuseums für Geschichte und Kunst, das erheblich erweitert wurde und unter anderem das bekannte römische Mosaik von Vichten beherbergt.

An die alte Lützelburg erinnern noch die imposanten Ruinen auf dem Bockfelsen. Wer auf den Resten der Anlage flaniert, erheischt einen beispiellos schönen Ausblick auf die Silhouette der Altstadt und die Unterstädte Grund, Clausen und Pfaffenthal. Auch das futuristische Kirchberg-Plateau gerät ins Blickfeld.

allemande pendant les deux guerres mondiales. Encore aujourd'hui, malgré l'envergure internationale de leur pays, les Luxembourgeois continuent à attacher une très grande importance à leur indépendance et à leur identité.

Depuis quelques années, le Marché-aux-Poissons est dominé par l'imposante façade en pierre du Musée national d'histoire et d'art. Ce dernier, qui a été considérablement agrandi, abrite entre autres la célèbre mosaïque romaine de Vichten.

Les impressionnantes ruines sur le rocher du Bock entretiennent le souvenir de l'ancien château Lützelburg. En se baladant sur ce site, on profite par ailleurs d'une vue magnifique sur la silhouette de la vieille ville, ainsi que sur les villes basses du Grund, de Clausen et du Pfaffenthal. Plus loin, on découvre le plateau futuriste du Kirchberg.

gracing a picturesque bay window that is a reminder of the pride and self-concept of the Luxembourg people: it says "Mir wölle bleiwe wat mir sin" (We want to remain what we are). This national motto gained increasing significance, not least as a result of the German occupation during the First and Second World Wars. And while Luxembourg may well be an international place, its locals are still intent on maintaining their independence and cultivating their identity.

The "Fëschmaart" is now dominated by the colossal new stone façade of the National Museum of History and Art, which has undergone significant extension work and is home to the well-known Roman mosaic of Vichten.

Traces of the old Lützelburg can still be gleaned from the imposing ruins on the Bock. A stroll along the remains of the old fortress delivers an unparalleled and beautiful view of the old town in silhouette and the lower suburbs of the Grund, Clausen and Pfaffenthal. The futuristic Kirchberg plateau also falls into the field of view.

Stadt unter der Stadt

Doch wenig deutet hier auf das spannende Innenleben des Bockfelsens hin. Dabei liegt das Entree zu Luxemburgs "Unterwelt" nur einen Steinwurf entfernt in einem restaurierten Festungswerk. Von hier aus gelangt man zunächst in die archäologische Krypta und von dort in die Bockkasematten, ein imposantes unterirdisches Labyrinth aus Gängen, Räumen und Treppen, das die Österreicher unter Karl VI. und Maria-Theresia – den damaligen Herrschern Luxemburgs – zwischen 1737 und 1746 bis zu 40 Meter tief in die Sandsteinfelsen bohren ließen.

Zum Zeitpunkt ihrer Schleifung ab dem Jahr 1867 verfügte die Festung über ein Stollensystem, zu dem auch die bereits Mitte des 17. Jahrhunderts von den Spaniern angelegten Petruss-Kasematten zählen, das sich über eine Gesamtlänge von rund 23 Kilometern erstreckte; heute sind noch rund 17 Kilometer erhalten, seit 1994 zählen die Kasematten, wie auch Teile der Altstadt, zum Weltkulturerbe der Unesco.

Lange Zeit galt Luxemburg als eine der gewaltigsten Festungen Europas, sprach man vom "Gibraltar des Nordens", dessen drei Festungsgürtel die Stadt schier uneinnehmbar erscheinen ließen. Derart eindrucksvoll waren die Wehranlagen Luxemburgs, dass über Jahrhunderte hinweg halb Europa um ihren Besitz wetteiferte. Burgunder und Preußen, Spanier und Franzosen – und selbst die Österreicher: Sie alle nutzten und verteidigten zeitweilig die Festung.

Die Stollen der Kasematten bildeten hierbei eine Art "Stadt unter der Stadt": Tausende Soldaten fanden in den

Une ville sous la ville

A cet endroit, peu de choses suggèrent toutefois que le rocher du Bock recèle une passionnante vie souterraine. A quelques pas de là, on accède aux "bas-fonds" de Luxembourg, aménagés au sein d'un ouvrage fortifié restauré. Ce passage mène d'abord à la crypte archéologique, puis aux casemates du Bock. Il s'agit là d'un imposant labyrinthe souterrain avec des couloirs, des salles et des escaliers, d'une profondeur atteignant 40 mètres par endroit. Il a été percé dans le rocher de grès par les Autrichiens entre 1737 et 1746, sous Charles VI et Marie-Thérèse, qui régnaient alors sur le Luxembourg.

Au moment de son démantèlement, à partir de 1867, la forteresse disposait d'un système de galeries, qui intègre également les casemates de la Pétrusse, aménagées dès le milieu du 17e siècle par les Espagnols. Ce système s'étendait sur une longueur totale d'environ 23 kilomètres. Aujourd'hui, 17 kilomètres ont pu être conservés et, depuis 1994, les casemates figurent au patrimoine mondial de l'Unesco, au même titre que des parties de la vieille ville.

Longtemps considérée comme l'une des forteresses les plus imposantes d'Europe, Luxembourg était appelée la "Gibraltar du Nord". Avec ses trois ceintures fortifiées, la ville paraissait imprenable. Dès lors, des siècles durant, les grandes puissances européennes cherchèrent à s'en assurer le contrôle: des Bourguignons aux Prussiens, en passant par les Espagnols, les Français et les Autrichiens. Ils ont tous à un moment donné profité de la forteresse de même qu'ils ont assuré sa défense.

A town underneath a town

There is little to hint at the exciting life within the Bock itself, despite the fact that the entrance to Luxembourg's "underworld" is but a stone's throw away in a restored part of the fortress. It leads first to the archaeological crypt and from then into the Bock casemates, an impressive underground labyrinth of galleries, rooms and stairways, which was carved out of the sandstone rock by the Austrians under Charles VI and Maria Theresa (the then rulers of Luxembourg) between 1737 and 1746 and which reaches up to 40 metres in depth.

At the time of its dismantlement from 1867 onwards, the fortress boasted a gallery system, which as early as the mid-17th-century included the Pétrusse casemates built by the Spaniards and which extended over a total length of some 23 kilometres; approximately only 17 kilometres have survived to this day. The casemates along with parts of the old town have been listed as a Unesco World Heritage Site since 1994.

Luxembourg was for a long time renowned as one of Europe's mightiest fortresses, known as the "Gibraltar of the North". With its three fortress belts, the city seemed virtually impregnable. Luxembourg's defence structures were so impressive that for many centuries half of Europe competed for their possession. The Burgundians, Prussians, Spaniards, French and even the Austrians all at some stage took over and defended the fortress.

The galleries of the casemates form a sort of "town underneath a town": the fortress passageways accommodated thousands of soldiers, as well

Der Bockfelsen verbirgt das verschachtelte Labyrinth der Kasematten // Le rocher du Bock cache le labyrinthe des casemates // The Bock outcrop hides the subterranean casemates

Felsengängen Platz, ebenso Waffen, Ausrüstung und Pferde. Und auch für die Versorgung war bestens gesorgt, denn Metzger, Bäcker, Köche und andere Handwerker arbeiteten in dieser unterirdischen Welt. Noch im Zweiten Weltkrieg sollte sich das Werk, an dessen Errichtung auch der französische Festungsbaumeister Sébastien Le Prestre de Vauban wesentlichen Anteil hatte, als Segen erweisen: Rund 35.000 Luxemburger fanden während der Kampfhandlungen Schutz vor den deutschen Angreifern.

Dans ce contexte, les galeries des casemates représentaient une sorte de ville sous la ville. Des milliers de soldats venaient s'y réfugier, mais aussi s'y approvisionner en armes, en équipements et en chevaux. Ces galeries au fond du rocher abritaient d'ailleurs des bouchers, des boulangers, des cuisiniers et toutes sortes d'autres artisans. Cet ouvrage, dont la réalisation est en grande partie due au célèbre architecte français Sébastien Le Prestre de Vauban, allait encore une fois servir pendant la Seconde Guerre mondiale: quelque 35 000 Luxembourgeois

as weapons, equipment and horses. Supplies were also well catered for, with butchers, bakers, cooks and other craftsmen all working in this underground world. The French master builder of fortresses, Sébastien Le Prestre de Vauban, was also much involved in the construction of the casemates, which as recently as during the Second World War were to prove a blessing: around 35,000 Luxembourgers found shelter and protection here from the German aggressors during attacks.

Von Festungsbaumeister Vauban errichtete Verteidigungsanlagen // Des ouvrages fortifiés érigés
par l'ingénieur militaire Vauban // Ramparts built by military engineer Vauban.

Vauban war es auch, der in der zweiten Hälfte des 17. Jahrhunderts dem Heilig-Geist-Plateau vorerst den letzten Schliff gab, als er hier eine Bastion samt Kasernen errichten ließ. Bevor Anfang des 21. Jahrhunderts dann der Bau des neuen Gerichtshofs Luxemburgs beginnen konnte, sollten archäologische Grabungen einiges ans Tageslicht bringen: So wurden die Überreste eines vermutlich aus dem 13. Jahrhundert stammenden Klosters sowie einer Kirche ebenso gefunden wie mehrere Gräber. Der neue Gerichtshof, errichtet nach den Plänen der renommierten luxemburgischen Architekten Léon und Rob Krier, war nicht unumstritten. Mit seinen Ausmaßen dominiert er nun das gesamte Plateau, auf dem sich im 19. Jahrhundert eine preußische Kaserne samt Militärkrankenhaus befand.

"Schönster Balkon Europas"

Luxemburgs Charme begründet sich in seiner Lage auf und inmitten seiner mitunter unwirklich erscheinenden Felsformationen. Ob von oben herab in die Täler oder umgekehrt – den Blicken ihrer Besucher bietet diese Stadt eine topografische Vielfalt, die ihresgleichen sucht.

So ist auch die Corniche, eine Promenade, die auf einem Festungswall verläuft, anderswo kaum vorstellbar. Der luxemburgische Schriftsteller Batty Weber nannte sie einmal den "schönsten Balkon Europas", was wohl nicht allein Ausdruck seines lokalpatriotischen Empfindens war. Denn tatsächlich hat man von hier aus einen beeindruckenden Blick auf die Felsen und die Reste der alten Festung.

Unten im Tal der Alzette gruppieren sich derweil alte Handwerkerhäuser

y trouvèrent alors refuge face aux assauts de l'armée allemande.

C'est aussi Vauban qui, pendant la seconde moitié du 17e siècle, a étendu le plateau du St-Esprit en y faisant construire un bastion doté de casernes. Au début du 21e siècle, avant le commencement des travaux en vue de la construction de la cité judiciaire, des fouilles archéologiques permirent de nouvelles découvertes à cet endroit. Les vestiges d'un monastère et d'une église datant probablement du 13e siècle ont été mis à jour en même temps qu'une série de tombes. La nouvelle cité judiciaire, conçue d'après les plans des architectes luxembourgeois Léon et Rob Krier, était d'ailleurs loin de faire l'unanimité. En effet, elle était appelée à dominer l'ensemble de ce plateau historique qui, au 19e siècle, comprenait entre autres une caserne prussienne et un hôpital militaire.

"Le plus beau balcon d'Europe"

La ville de Luxembourg doit une grande partie de son charme aux étranges formations rocheuses qui l'entourent et sur lesquelles elle repose. Peu importe qu'il se trouve dans l'une des vallées ou qu'il contemple ces dernières du haut de la ville, le visiteur est captivé par l'exceptionnelle variété topographique de la capitale.

L'un des endroits les plus insolites est la Corniche, une promenade aménagée au sommet d'un rempart de la forteresse. L'écrivain luxembourgeois Batty Weber a dit un jour que c'était "le plus beau balcon d'Europe". Cette expression traduit bien plus qu'un simple patriotisme local. En effet, à partir de cette promenade, on profite vraiment d'une vue extraordinaire sur les rochers

Vauban was also responsible for putting the preliminary finishing touches to the "Plateau du Saint Esprit" during the second half of the 17th century, when he chose this site to erect a bastion with barracks. Prior to the construction of Luxembourg's new law courts during the early 21st century, archaeological excavations revealed some interesting findings: the remains of a suspected 13th-century monastery as well as a church were unearthed, along with several graves. The construction of the new court of justice, designed by well-known Luxembourg architects Léon and Rob Krier, was not without controversy. Its magnitude now dominates the entire plateau, upon which in the 19th century a Prussian barracks and a military hospital once stood.

"Europe's most beautiful balcony"

Luxembourg's charm is due to its location above and surrounded by seemingly unreal rock formations. Whether looking down into the valley from above or the other way round, the visitor's gaze is met with a topographical diversity second to none.

The Corniche, a promenade running along one of the fortress walls, can hardly be pictured elsewhere. The Luxembourg author Batty Weber once called it "Europe's most beautiful balcony", a statement which reflects not just local patriotic sentiment alone. There is indeed an impressive view from here of the rocks and the remains of the old fortress.

Meanwhile, in the valley of the Alzette, old craftsmen's houses are grouped around the former Benedictine abbey

Die zur Abtei Neumünster gehörende Kirche Sankt Johann vor der Altstadt-Silhouette // L'église Saint-Jean, qui fait partie de l'abbaye Neumünster, devant la silhouette de la vieille ville // St. John's church, part of the Neumünster abbey, and the old city silhouette

In den Unterstädten Grund, Clausen und Pfaffenthal findet man zwischen alten Festungsmauern noch einen Hauch von Bohème // Un air de bohème flotte encore entre les fortifications des faubourgs du Grund, de Clausen et de Pfaffenthal // A Bohemian feel still lingers between the old fortress walls in the lower suburbs of Grund, Clausen and Pfaffenthal

rund um die ehemalige Benediktiner-
abtei Neumünster im Stadtteil Grund.
Wer hinabsteigt in dieses Viertel, das
als eines der ersten Luxemburgs besie-
delt war, wähnt sich fernab großstädti-
schen Treibens. Derart beschaulich ist
der "Gronn", wie die Einheimischen das
Quartier nennen, dass man für einen
Moment vergisst, in einer europäischen
Hauptstadt und Finanzmetropole zu
sein. Kleine Brücken und enge Terras-
sengärten, das still dahinfließende
Wasser der Alzette und abends die
Lichter an den Felshängen – vom Grund
aus betrachtet bietet Luxemburg eine
Kulisse wie aus einer anderen Zeit; aus

et sur le reste de l'ancienne forteresse.
En bas, au quartier du Grund, dans
la vallée de l'Alzette, de vieilles maisons d'artisans se regroupent autour
de l'ancienne abbaye bénédictine de
Neumünster. Dans ce quartier, que les
Luxembourgeois appellent "de Gronn"
et qui fait partie des plus vieux de la
ville, on échappe à l'agitation citadine. On oublie un instant qu'on se
trouve dans une capitale européenne
et métropole financière. Avec ses petits ponts et ses étroites terrasses, au
fil de la paisible Alzette et au pied des
pentes rocheuses illuminées en soirée,
le Grund confère à la ville une coulisse

of Neumünster in the Grund suburb.
Upon descending into this quarter,
which was one of the first to be inhab-
ited in Luxembourg, it is easy to imag-
ine oneself a long way from the big-city
bustle. The "Gronn", as the locals call
it, is so tranquil that for a moment it is
almost natural to forget it is part of a
European capital and financial metropolis. Small bridges and narrow terraced
gardens, the quietly flowing water of
the Alzette, with lights illuminating
the inclines of the rocks at night – seen
from the Grund, Luxembourg evokes a
setting reminiscent of a different era,
of a time when a succession of monks,

Panorama vom Rham-Plateau aus; Caféterrasse im Grund // Vue panoramique du plateau du Rham; terrasse de café au Grund // Panoramic view from the Rham plateau; cosy café in the Grund

Die Festungsbrücke Stierchen führt über die Alzette zum Kulturzentrum Abtei Neumünster // Le Stierchen, un pont de la forteresse, traverse l'Alzette pour conduire au centre culturel Abbaye Neumünster // The fortress bridge Stierchen crosses the Alzette and leads to the Abbaye Neumünster cultural centre

Das Nationalmuseum für Naturgeschichte im Hospiz Sankt Johann // Le Musée national d'histoire naturelle dans l'hospice Saint Jean // The National Museum of Natural History in St. John's Hospice

jenen Jahrhunderten, da nacheinander Mönche, Häftlinge und kranke oder verwundete Soldaten das Geschehen in und um die Abtei, in der sich heute ein herausragendes Kulturzentrum befindet, prägten.

Längst hat sich der Grund zu einem beliebten Ausgeh-Viertel gemausert, dessen Nachtleben weit über die Grenzen Luxemburgs hinausstrahlt. Musikfestivals wie die sommerliche Blues'n Jazz Rallye sowie eine Vielzahl uriger Kneipen und Cafés sorgen für ein unverwechselbares Flair in den engen Gassen. Liebevoll und denkmalgerecht restaurierte Häuser machen den Grund zudem zu einer angesagten Wohnadresse.

Die Luxemburger sind ein feierfreudiges Volk, weshalb allerorten und mit schöner Regelmäßigkeit etwas geboten wird. Ob Jazz im Grund, Rock um Knuedler oder die seit dem 14. Jahrhundert alljährlich im Spätsommer stattfindende Schueberfouer auf dem weiträumigen Glacisfeld – für reichlich Abwechslung ist gesorgt. Gegründet wurde die Schueberfouer, die zu den größten Jahrmärkten Europas zählt, von Johann dem Blinden, der in Personalunion König von Böhmen und Graf von Luxemburg war.

Die wichtigste religiöse Feierlichkeit des Landes steht nach Ostern auf dem Programm: die Oktave, eine Pilgerfahrt zu Ehren der Schutzheiligen von Luxemburg, Unserer Lieben Frau. Katholiken aus allen Teilen des Großherzogtums machen sich während der zwei Wochen dauernden Oktave auf den Weg in die Kathedrale, und meist folgt auf die stille Anbetung der Mutter Gottes der feuchtfröhliche Besuch des Jahrmarkts auf dem nahe gelegenen

qui parait d'un autre âge. On se croirait revenu aux temps où c'étaient d'abord les moines, puis les prisonniers et les soldats malades ou blessés qui rythmaient la vie autour de cette abbaye, convertie à présent en somptueux centre culturel.

Le Grund et sa vie nocturne se sont par ailleurs forgé une réputation qui dépasse largement les frontières du Luxembourg. Des festivals musicaux comme le Blues'n Jazz Rallye ainsi que les nombreux bistrots et cafés confèrent aux ruelles du quartier une atmosphère incomparable. Néanmoins, ses maisons soigneusement restaurées et respectueuses du patrimoine en font aussi un quartier résidentiel fort prisé.

Les Luxembourgeois aiment faire la fête et les nombreux spectacles organisés régulièrement en sont la preuve. Citons à nouveau le Blues'n Jazz Rallye ou encore le festival Rock um Knuedler, sans oublier la traditionnelle Schueberfouer, qui a lieu sur le parking des Glacis chaque année à la fin de l'été et dont les origines remontent au 14ᵉ siècle. Elle a été fondée par Jean l'Aveugle, roi de Bohème et grand-duc de Luxembourg. Entre-temps, la Schueberfouer fait partie des plus grandes fêtes foraines d'Europe.

Au niveau religieux, la festivité la plus importante du pays a lieu quelques semaines après Pâques. Il s'agit de l'Octave, un pèlerinage en hommage à la sainte patronne du Luxembourg, Notre Dame. Le temps des deux semaines de l'Octave, des catholiques venus des quatre coins du Grand-Duché se retrouvent à la cathédrale. Bien souvent, après avoir vénéré la Sainte Vierge en toute quiétude, les pèlerins se rendent place Guillaume II, où une

prisoners and sick and injured soldiers were part of the life in and around the abbey, which today is home to an outstanding cultural centre.

The Grund has for a long time been recognised as a thriving nocturnal hotspot, with a nightlife reputation extending well beyond Luxembourg's borders. Music festivals such as the summer Blues'n Jazz Rallye as well as an abundance of cosy pubs and cafés lend the narrow streets their distinctive flair. Houses that have been lovingly restored in accordance with preservation orders also make the Grund a sought-after residential area.

The Luxembourg people like to celebrate, which is why there is always something going on. From jazz in the Grund to Rock um Knuedler or the annual Schueberfouer, an event that takes place in late summer on the spacious site of the Glacis and has done so since the 14ᵗʰ century – a variety of tastes is amply catered for. The Schueberfouer, one of Europe's biggest annual funfairs, was founded by John the Blind, who in a personal union was both King of Bohemia and Duke of Luxembourg.

The country's most important religious celebration on the agenda takes place after Easter: the Oktave, a pilgrimage in honour of Our Lady, Luxembourg's patron saint. During the two weeks of the Oktave, Catholics from all over the Grand Duchy embark on a pilgrimage to the Cathedral. A contemplative worship of the Madonna is most often followed by a merry trip to the funfair on the Knuedler located close by. A further festivity, which is particular to Luxembourg, is the Éimaischen celebration on Easter Monday, when the

Animation das ganze Jahr über: Schueberfouer; Oktave-Mäertchen; Streeta(rt)nimation; Blues'n Jazz Rallye // Animations tout au long de l'année: Schueberfouer; marché de l'Octave; Streeta(rt)nimation; Blues'n Jazz Rallye // Entertainment all year round: Schueberfouer; Octave market; Streeta(rt)nimation; Blues'n Jazz Rallye

Knuedler. Eine weitere Festivität, die man so nur in Luxemburg antrifft, ist das Éimaischen-Fest am Ostermontag. Rund um den Fischmarkt dreht sich alles um kleine, farbenfroh bemalte Vögel aus Ton, die Péckvillercher.

Kunsttempel und Kongresszentren

Doch allen Traditionen zum Trotz – die Luxemburger gehen auch mit der Zeit. So entsteht auf dem Kirchberg das "neue" Luxemburg, die pulsierende Europa-Metropole, das internationale Bankenzentrum. Wie kaum ein anderer Teil der Hauptstadt verändert der Kirchberg ständig sein Gesicht, und es sind vor allem die seit Beginn des 21. Jahrhunderts errichteten modernen Gebäude, die nicht nur national neue architektonische Maßstäbe setzen.

Nirgends zeigt sich Luxemburgs Wandel und Aufschwung denn auch eindrucksvoller als an der Place de l'Europe. Zu dem zwischen 1964 und 1966 errichteten 22-stöckigen EU-Konferenzzentrum gesellten sich Anfang dieses Jahrtausends die beiden rund 70 Meter hohen Zwillingstürme des katalanischen Architekten Ricardo Bofill. Im Schatten der modernen Hochhäuser und ihrer gläsernen Fassaden ragt weitere Architektur erster Güte empor.

Allen voran die imposante, vom Pariser Stararchitekten Christian de Portzamparc entworfene neue Philharmonie, die Salle de Concerts Grande-Duchesse Joséphine-Charlotte, wie sie korrekt heißt. Mit seiner aus mehr als 800 kalkweißen Steinkolonnen gebildeten lichtdurchlässigen Fassade bildet der Musiktempel einen leuchtenden Kontrapunkt zu dem inzwischen

petite fête foraine a lieu le temps de l'Octave. Une autre fête luxembourgeoise traditionnelle est l'Éimaischen, qui se déroule le lundi de Pâques et à l'occasion de laquelle le Marché-aux-Poissons est placé sous le signe des Péckvillercher, de petits sifflets multicolores en terre cuite et en forme d'oiseaux.

Les temples de l'art et les centres de congrès

Malgré toutes ces traditions, les Luxembourgeois sont bien ancrés dans la modernité. Ainsi, le quartier du Kirchberg voit se développer le "nouveau" Luxembourg, une métropole européenne trépidante et une place financière internationale. Plus qu'aucun autre quartier de la capitale, le Kirchberg n'en finit pas de changer d'apparence. Ce sont surtout les bâtiments construits depuis le début du 21e siècle qui définissent de nouveaux critères architecturaux.

Nulle part ailleurs, l'évolution et l'essor du Luxembourg n'apparaissent plus clairement que place de l'Europe. Outre le centre de conférences de l'Union européenne, une tour de 22 étages érigée entre 1964 et 1967, cette place accueille deux tours jumelles de 70 mètres de haut, réalisées par l'architecte catalan Ricardo Bofill au début du millénaire. A l'ombre de ces gratte-ciel modernes aux façades vitrées, d'autres œuvres architecturales de premier plan ont vu le jour.

Le plus imposant est sans doute la Salle de concerts Grande-Duchesse Joséphine-Charlotte, appelée communément la Philharmonie et conçue par l'architecte vedette parisien Christian de Portzamparc. Avec sa façade translucide composée de plus

Fish Market comes alive with the sale of small, colourfully painted birds made out of clay called Péckvillercher.

Temples of art and conference centres

Despite all their traditions, Luxembourgers also move with the times. The "new" Luxembourg is taking shape on Kirchberg, the pulsating metropolis of Europe and an international banking centre. Like no other part of the capital, Kirchberg is constantly undergoing change. The modern structures that have been built since the beginning of the 21st century have set new architectural standards, and not just on a national level.

Nowhere is Luxembourg's transformation and growth more impressive than on the Place de l'Europe. The EU conference centre, built between 1964 and 1966 and boasting 22 floors, acquired new neighbours at the dawn of the century in the form of two twin towers measuring approximately 70 metres in height, designed by Catalan architect Ricardo Bofill. There are further examples of first-rate architecture in the shade of these modern high-rises with their glass façades.

First and foremost is the imposing new Philharmonie or the Salle de Concerts Grande-Duchesse Joséphine-Charlotte, as it is officially called, designed by Parisian star architect Christian de Portzamparc. With its translucent façade featuring more than 800 chalk-white stone columns, this temple of music provides a stunning counterpoint to the directly neighbouring Schuman building, which looks admittedly slightly outdated now. The Philharmonie boasts three concert halls,

Skulptur von Frank Stella vor der HypoVereinsbank; von Ricardo Bofill entworfene Bürotürme; die Säulenfassaden der Philharmonie // Sculpture de Frank Stella devant la HypoVereinsbank; les tours jumelles aménagées par Ricardo Bofill; les colonnes filigranes de la Philharmonie // Sculpture by Frank Stella in front of the HypoVereinsbank; the twin towers by Ricardo Bofill; the filigree columns of the Philharmonie

Festungsmuseum und MUDAM (Museum für Moderne Kunst Grand-Duc Jean) vermitteln architektonische Kontraste // Contrastes architecturaux: le Musée de la forteresse et le MUDAM (Musée d'art moderne Grand-Duc Jean) // Architectural contrasts: the Museum of the fortress and the MUDAM (Grand Duke Jean Museum of Modern Art)

in die Jahre gekommenen Schuman-Ge-
bäude gleich nebenan. Drei Konzertsä-
le beherbergt die Philharmonie, rund
1500 Menschen fasst allein das Grand
Auditorium. Längst ist Portzamparcs
Prachtbau zu einem Magneten für
Musikbegeisterte aus allen Ecken und
Enden der Großregion geworden, meist
ist der Konzertsaal ausverkauft.

Auch das vom chinesisch-amerika-
nischen Baukünstler Ieoh Ming Pei
geschaffene und kaum mehr als einen
Steinwurf von der Philharmonie entfernt gelegene Musée d'Art Moderne
Grand-Duc Jean, kurz MUDAM, sorgt
weit über die Landesgrenzen hinweg
für Aufsehen. Die historischen Grundmauern des einstigen Forts Thüngen
und gläserne Moderne fließen hier
ineinander und bilden ein kontrastrei-
ches Ganzes. Auf drei Etagen und rund
4800 Quadratmetern Ausstellungsflä-
che findet zeitgenössische Kunst ihren
Raum.

Ob MUDAM oder Philharmonie – beide
Gebäude untermauern Luxemburgs
Anspruch, nicht bloß große Kleinstadt,
sondern gleichsam Metropole von
europäischem Rang zu sein. Und tatsächlich: Mit der Fertigstellung zweier
weiterer, mehr als 100 Meter hoher
Bürotürme des Europäischen Gerichtshofs scheint die Stadt diesem Ziel ent-
gegenzueilen – und Luxemburg einmal
mehr seinem Ruf gerecht zu werden,
ein Ort der spannenden Gegensätze
zu sein.

Kirchberg und Oberstadt trennt das
Pfaffenthal, eines jener beliebten
Quartiere entlang der Alzette, das seit
1966 von einem gewaltigen Bauwerk
überspannt wird, dem Pont Grand-
Duchesse-Charlotte. Ein Name, der
sich nie durchzusetzen vermochte,

de 800 colonnes en pierre blanche, ce
temple de la musique donne un coup
de vieux à son voisin, le bâtiment Robert Schuman. La Philharmonie compte trois salles de concerts. A lui seul, le
Grand auditorium peut accueillir 1500
spectateurs. La somptueuse création
de Portzamparc n'a pas tardé à atti-
rer les mélomanes des quatre coins
de la Grande Région et la plupart des
concerts s'y jouent à guichets fermés.

Non loin de là, le MUDAM, comme on
appelle le Musée d'art moderne Grand-
Duc Jean, doit son architecture au
Sino-américain Ieoh Ming Pei. Cette
construction pleine de contrastes, qui
réunit les murs historiques de l'ancien
fort Thüngen et des baies vitrées modernes, s'est, elle aussi, forgé une réputation qui dépasse les frontières du
Luxembourg. Sur trois étages, le musée
offre 4800 mètres carrés de surface
d'exposition aux œuvres artistiques
contemporaines.

Tout comme la Philharmonie, le MUDAM
souligne l'ambition de Luxembourg de
ne plus être qu'une grande petite ville,
mais de s'imposer en tant que métropole de dimension européenne. Ce but
semble à présent à portée de main surtout depuis la réalisation des deux tours
de bureaux de la Cour de justice européenne, qui font chacune 100 mètres
de haut. Une nouvelle fois, Luxembourg
est restée fidèle à sa réputation de
point de rencontre des contrastes les
plus passionnants.

Le Kirchberg et le centre-ville sont séparés par le Pfaffenthal, l'un de ces
quartiers prisés, situés le long de l'Alzette. Depuis 1966, il est surplombé par
une majestueuse construction, le pont
Grande-Duchesse Charlotte. Ce nom
n'a toutefois jamais réussi à s'imposer

with its Grand Auditorium able to seat
an audience of approximately 1,500.
Portzamparc's masterpiece has since
become a magnet for music enthusi-
asts from all over the Greater Region
and performances are regularly sold
out.

The Grand Duke Jean Museum of Modern Art, usually shortened to MUDAM,
was designed by Chinese-American
architect Ieoh Ming Pei. Like the Philharmonie, which is no more than a
stone's throw away, it is also known
well beyond the country's borders.
Here the historical foundation walls of
the former Fort Thüngen and modern
glass architecture combine to form a
contrast-rich whole. Three levels and
approximately 4,800 square metres of
exhibition space are dedicated to contemporary art.

Both these imposing buildings, the MU-
DAM and the Philharmonie, underpin
Luxembourg's claim to be a metropolis
on a European scale, rather than just a
small city. With the completion of two
additional high-rise office blocks, measuring over 100 metres in height and
accommodating the European Court
of Justice, the city undeniably appears
to be approaching its target – and Luxembourg once again seems to be living
up to its reputation of being a place of
exciting contrasts.

Kirchberg and the upper town are sep-
arated by the Pfaffenthal, a popular
suburb along the Alzette, which since
1966 has been spanned by a mighty
structure, the Pont Grand-Duchesse
Charlotte – a name that has never
caught on, since the bridge has always
been known by the more simple appel-
lation of Red Bridge, on account of its
distinctive colour.

Das MUDAM (Museum für Moderne Kunst Grand-Duc Jean) wurde vom Stararchitekten I. M. Pei konzipiert // Le MUDAM (Musée d'art moderne Grand-Duc Jean) a été conçu par le célèbre architecte I. M. Pei // The MUDAM (Grand Duke Jean Museum of Modern Art) has been designed by the famous architect I. M. Pei.

weil das Bauwerk ob seiner Farbe der Einfachheit halber nur noch Rote Brücke genannt wird.

Damals, in den 1960er-Jahren, sollte die Stahlkonstruktion den Brückenschlag zwischen Moderne und Gewachsenem, zwischen Kirchberg und Oberstadt schlagen. Mehr als 350 Meter lang und bis zu 74 Meter hoch, überspannt die Brücke das Pfaffenthal. Doch längst lassen sich altes und neues Luxemburg nicht mehr trennen, hat sich die Moderne auch in der Altstadt ihren Raum erobert.

Bankenmeile und Boulevard

Etwa entlang des Boulevard Royal, von manchem ein wenig ironisch auch Luxemburgs "Wall Street" genannt. Die breite, streckenweise fünfspurige Straße führt vom Norden und Nordosten der Oberstadt auf den Pont Adolphe. Einst säumten prächtige Bürgerhäuser und Stadtvillen die "Königsallee", doch inzwischen dominieren Glaspaläste und Bürobauten Luxemburgs wohl verkehrsreichste Innenstadtstraße. Eine internationale Bank reiht sich hier an die nächste, Menschen aus allen Teilen der Erde queren den Boulevard, eilen zum zentralen Busbahnhof auf der Place Emile Hamilius oder gönnen sich einen Cappuccino in einem der nahe gelegenen Cafés.

Der Boulevard Royal ist Luxemburgs wohl hektischste Meile, doch von hier aus gelangt man über eine der nördlichen Seitenstraßen in nur wenigen Fußminuten in den großzügigen Stadtpark. In den 70er-Jahren des 19. Jahrhunderts von einem Pariser Gartenarchitekten angelegt, lädt er zum Verschnaufen ein. Vergessen ist für einen Moment die enervierende

et, en langage populaire, on ne connait en principe que le Pont rouge, en raison de la couleur de l'édifice.

A l'époque, dans les années 1960, cette construction en acier devait symboliser le lien entre la modernité et la tradition, c'est-à-dire entre le Kirchberg et le centre historique. Le pont rouge s'étend sur plus de 350 mètres de longueur et se dresse à 74 mètres au-dessus du Pfaffenthal. Or, entre-temps, les Luxembourg ancien et nouveau ne suivent plus de ligne de démarcation et la modernité a fini par conquérir une partie de la vieille ville.

Le boulevard des banques

C'est notamment le cas le long du boulevard Royal, parfois surnommé le Wall Street luxembourgeois avec une certaine ironie. Cette large avenue à cinq voies de circulation relie le nord et le nord-est de la ville haute au pont Adolphe. Autrefois, le boulevard Royal était bordé de somptueuses maisons patriciennes et de villas citadines. Depuis, elles ont été remplacées par des palais en verre et des immeubles de bureaux. Le long de ce qui est sans doute l'artère municipale la plus fréquentée du Luxembourg, les banques internationales se dressent les unes à côtés des autres. On y voit des gens venus du monde entier franchir le boulevard, tantôt d'un pas pressé pour se rendre à la gare routière place Emile Hamilius, tantôt d'un air plus détendu pour prendre un cappuccino dans un des bistrots des environs.

A partir du boulevard Royal, il suffit de franchir quelques rues latérales pour se retrouver au parc municipal. Aménagé dans les années 1870 par un architecte paysagiste parisien,

When it was built during the 1960s, this steel construction was intended to provide a connection between the modern and the established, between Kirchberg and the upper town. Over 350 metres in length and up to 74 metres in height, the bridge spans the Pfaffenthal. However, old and new Luxembourg have long proved difficult to separate, the modern having secured its own place in the old town.

Banking mile and boulevard

This is the case along the Boulevard Royal, somewhat ironically referred to as Luxembourg's "Wall Street". This broad, at times five-laned avenue leads from the north and northeast of the upper town to the Pont Adolphe. In the past, splendid patrician houses and city villas lined the "Royal Avenue", but nowadays glass palaces and office structures dominate Luxembourg's undoubtedly busiest city-centre street. Here, we find row upon row of international banks, and people hailing from all over the globe cross the boulevard, hurrying to the central bus station on Place Emile Hamilius or enjoying a cappuccino in one of the nearby cafés.

The Boulevard Royal is Luxembourg's busiest mile, yet it leads, via a northern side street, to the spacious municipal park, which can be reached in a matter of a few minutes on foot. Designed by a Parisian landscape architect during the 1870s, the park is an ideal place to unwind. Here the frantic hustle and bustle of the nearby boulevard can be temporarily forgotten. The municipal park is not just a green oasis of peace, but also serves as a centre of remembrance. Great Britain's Prime Minister during the Second World War, Winston Churchill, is remembered here, as is the

Der Pont Grande-Duchesse Charlotte, im Volksmund Rote Brücke genannt, verbindet Oberstadt und Kirchberg-Plateau // Le pont Grande-Duchesse Charlotte, appelé Pont Rouge, relie la ville haute et le plateau de Kirchberg // The Grand Duchess Charlotte bridge, called Red Bridge, links the upper town and the Kirchberg plateau.

Banken am Boulevard Royal; Villa Vauban; Stadtpark // Les banques du boulevard Royal; Villa Vauban; le parc de la ville // Banks on boulevard Royal; Villa Vauban; the city park

Betriesamkeit des nahe gelegenen Boulevards. Dabei ist der Stadtpark nicht nur grüner Ruhepol, sondern auch so etwas wie ein Ballungsgebiet des Gedenkens. An Großbritanniens Kriegspremier Winston Churchill wird hier ebenso erinnert wie an den gewaltlosen Freiheitskämpfer Mahatma Gandhi; einer Büste zu Ehren Victor Hugos begegnet der Besucher, und auch an Johann dem Blinden führt kaum ein Weg vorbei.

Doch die Luxemburger erinnern auch an heute weniger bekannte Größen der jüngeren Vergangenheit, ehren den Schriftsteller Batty Weber oder die Prinzessin Amalia, Gattin von Prinz Heinrich der Niederlande, der als Statthalter seines Bruders Wilhelms III. in Luxemburg weilte.

Inmitten des Parks lag einst das Fort Vauban, auf dessen Grundmauern im ausgehenden 19. Jahrhundert die heutige Villa Vauban errichtet wurde. Das stattliche Anwesen hat eine wechselvolle Geschichte vorzuweisen. Einst prächtiges Domizil der Familie Gargan-Pescatore, beherbergte die Villa von 1952 bis 1958 den Europäischen Gerichtshof, der nun einige Kilometer weiter nordöstlich auf dem Kirchberg residiert. Von 1960 bis 2005 diente das Anwesen als städtische Kunstgalerie, unterbrochen von jenen drei Jahren, in denen die Villa als Ausweichquartier für die großherzogliche Familie herhalten durfte, deren Palais von 1992 bis 1995 renoviert wurde.

RTL sendete aus dem Stadtpark

Im Süden des Parks ragt die Villa Louvigny empor, die lange Jahre Garant für die nicht nur sprichwörtliche Ausstrahlung Luxemburgs war. Schließlich

ce généreux espace vert invite à la détente et permet d'échapper à l'énervante activité du boulevard tout proche. Le parc est non seulement un havre de paix, mais aussi une sorte de centre de commémoration. On y entretient aussi bien le souvenir de l'ancien Premier ministre britannique Winston Churchill que celui du Mahatma Gandhi, indépendantiste non violent indien. Plus loin, le visiteur découvre un buste en hommage à Victor Hugo, sans oublier l'inévitable Jean l'Aveugle.

Les Luxembourgeois entretiennent également la mémoire de personnalités moins célèbres comme l'écrivain Batty Weber ou la princesse Amélie, épouse du prince Henri des Pays-Bas, qui a séjourné au Luxembourg en tant que lieutenant-représentant de son frère, le roi Guillaume III.

Située au cœur du parc, la villa Vauban a été érigée à la fin du 19e siècle. Auparavant, c'est le fort Vauban qui se trouvait à cet endroit. La somptueuse villa a vécu une histoire mouvementée. Il s'agit de l'ancien domicile de la famille Gargan-Pescatore. De 1952 à 1958, la villa a accueilli la Cour de justice européenne, qui a depuis déménagé quelques kilomètres plus loin, au Kirchberg. De 1960 à 2005, la propriété a hébergé la galerie d'art municipale avec une interruption de trois ans. En effet, de 1992 à 1995, la villa servait de domicile provisoire à la famille grand-ducale, le temps des travaux de rénovation au palais.

RTL émettait à partir du parc municipal

Au sud du parc, un autre bâtiment, la villa Louvigny, a longtemps hébergé les studios de Radio Télé Luxembourg (RTL). En 1962, c'est ici que Mireille

non-violent freedom fighter Mahatma Gandhi; a stroll through the park also leads to a bust in honour of Victor Hugo and a tribute to John the Blind.

The Luxembourg people also pay homage, however, to great personalities from the more recent past, not so well known today, such as the writer Batty Weber or Princess Amalia, the wife of Prince Henry of the Netherlands, who lived in Luxembourg as Governor for his brother, William III.

The centre of the park used to house Fort Vauban, on the foundation walls of which today's Villa Vauban was erected at the end of the 19th century. This imposing property has had a chequered history. Once the splendid home of the Gargan-Pescatore family, from 1952 to 1958 the villa housed the European Court of Justice, which has since relocated a few kilometres away to the northeast on Kirchberg. From 1960 to 2005, the property played host to a municipal art gallery, albeit with an interruption of three years, during which the villa was used as a replacement residence by the Grand-Ducal family while the palace was being renovated from 1992 to 1995.

RTL used to broadcast from the municipal park

The south of the park is dominated by Villa Louvigny, which for many years was the seat of transmission for Luxembourg, in both a literal and figurative sense. This is after all where the studios of Radio Télé Luxembourg (RTL) were housed, and from where Mireille Delannoy presented the Eurovision Song Contest in 1962. Nowadays, the former radio and television studios of Villa Louvigny are home to the offices

waren hier die Studios von Radio Télé Luxembourg (RTL) untergebracht, und 1962 moderierte Mireille Delannoy von diesem Ort aus den Grand Prix Eurovision de la Chanson. Inzwischen wurden in den einstigen Radio- und Fernsehstudios der Villa Louvigny Büroräume des Gesundheitsministeriums eingerichtet, derweil der RTL-Hauptsitz in weitaus größere und modernere Gebäude auf dem Kirchberg verlegt wurde.

Tummeln sich im Stadtpark auch Skulpturen und Statuen, so findet sich das bemerkenswerteste Monument doch andernorts, genauer auf dem nahe dem Casino gelegenen Konstitutionsplatz: Das Mahnmal der Gëlle Fra (Goldene Frau) wurde 1923 zum Gedenken an die im Ersten Weltkrieg gefallenen Luxemburger Soldaten errichtet. Die vergoldete Frauenfigur auf der Spitze eines Obelisken soll den Luxemburger Freiheits- und Unabhängigkeitswillen symbolisieren.

Im Jahr 1940 wurde das Denkmal von den deutschen Besatzern zerstört, doch die Luxemburger brachten die Überreste der Gëlle Fra an einen sicheren Ort. Deren Rückkehr und das Wiedererstehen des Monuments sollten allerdings noch bis 1985 auf sich warten lassen. Vom Konstitutionsplatz hat man einen unvergleichlichen Blick auf das Plateau Bourbon und das herrschaftliche Gründerzeitgebäude der Luxemburger Sparkasse.

Von der Oberstadt gelangt man über die Adolphe-Brücke auf die andere Seite des Petrusstals. Zum Zeitpunkt ihrer Errichtung zu Beginn des 20. Jahrhunderts galt das Bauwerk als die größte Steinbogenbrücke der Welt. Auch heute noch beeindrucken die Dimensionen des großen Doppelbogens, der sich

Delannoy a présenté le Grand-Prix Eurovision de la Chanson. Entre-temps, les studios de radio et de télévision ont à leur tour quitté le parc pour le Kirchberg, où le siège principal de RTL occupe à présent des bâtiments bien plus grands et plus modernes. De son côté, la villa Louvigny accueille aujourd'hui des bureaux du ministère de la Santé.

Malgré les nombreuses sculptures et statues que compte le parc municipal, le monument le plus remarquable de la ville se situe, lui, place de la Constitution, près du casino. Il s'agit de la Gëlle Fra (Femme en or), érigée en 1923 à la mémoire des soldats luxembourgeois morts au cours de la Première Guerre mondiale. Le corps de femme doré au sommet de l'obélisque est censé symboliser le désir de liberté et d'indépendance des Luxembourgeois.

Ce monument a été détruit en 1940 par les occupants allemands. Toutefois, les Luxembourgeois ont réussi à cacher les restes de la Gëlle Fra en lieu sûr. Il allait cependant falloir attendre 1985 pour voir la statue réapparaître et assister à la reconstruction du monument. A partir de la place de la Constitution, la vue est imprenable sur le plateau Bourbon et le bâtiment de la caisse d'épargne luxembourgeoise, qui date du début du 20e siècle.

Pour franchir la vallée de la Pétrusse à partir du centre-ville, on emprunte le pont Adolphe. Au moment de sa construction, au début du 20e siècle, cet ouvrage était considéré comme le plus grand pont à arches du monde. Aujourd'hui encore, les dimensions de la grande arche double sont impressionnantes. Avec une portée de 85 mètres, le pont s'élève à 42 mètres au-dessus de la vallée.

of the Ministry of Health, while the RTL headquarters have relocated to a much more extensive and modern setup on Kirchberg.

While the municipal park has a good show of sculptures and statues, the most impressive monument is to be found elsewhere. More precisely on the Place de la Constitution close to the Casino: the Gëlle Fra (Golden Lady) memorial was erected in 1923 to honour the memory of the Luxembourg soldiers who fell during the First World War. The golden body of a woman gracing the top of an obelisk symbolises the Luxembourg will for freedom and independence.

The monument was destroyed in 1940 by the German occupiers, but the Luxembourgers managed to move the remains of the Gëlle Fra to a safe place. It was not until 1985, however, that the monument was returned and re-erected. The Place de la Constitution provides the best views onto the Bourbon plateau and the stately building of the Luxembourg State Savings Bank dating back to the industrial era.

From the upper town, the other side of the valley of the Pétrusse can be reached via the Adolphe bridge. At the time of its construction during the early 20th century, this structure was the largest stone arch bridge in the world. Even today, the magnitude of the big double arch is impressive, spanning the valley of the Pétrusse for a length of over 85 metres at an imposing height of 42 metres.

When heading towards the "Gare" via the Adolphe bridge, yet another characteristic of Luxembourg can be witnessed – that of the fashionable

Goldene Frau; Villa Louvigny, der ehemalige RTL-Sitz im Stadtpark // La Femme en or; Villa Louvigny, ancien siège de RTL dans le parc municipal // The Golden Lady; Villa Louvigny, the former RTL headquarters in the city park

Adolphe-Brücke; Staatsbank und -sparkasse; Sitz des Stahlkonzerns ArcelorMittal // Le pont
Adolphe; la Banque et Caisse d'Epargne de l'Etat; le siège du groupe sidérurgique ArcelorMittal //
Adolphe bridge; State and Savings Bank; seat of the steel group ArcelorMittal

mit einer Spannweite von 85 Metern in einer Höhe von 42 Metern über das Petrusstal streckt.

Wer die Adolphe-Brücke in Richtung "Gare" passiert, erblickt eine andere Seite Luxemburgs – die der mondänen Alleen. Im Stile französischer Prachtstraßen angelegt, ist die Avenue de la Liberté das Verbindungsstück zwischen dem Boulevard Royal und dem Bahnhofsviertel. Und gleich am Brückenkopf zieht den Besucher ein Gebäude in seinen Bann, das zunächst an ein Rathaus oder gar Palais erinnert.

Tatsächlich handelt es sich jedoch um den repräsentativen Sitz der Staatsbank und -sparkasse. Dass der Gebäudekomplex mitsamt seiner facettenreichen Fassade und dem gewaltigen Eckturm ein Ensemble mit der Adolphe-Brücke zu bilden scheint, war durchaus beabsichtigt. Denn Luxemburgs Planer wollten hier ein architektonisches Pendant zur Altstadt errichten.

Die Avenue de la Liberté ist Luxemburgs wohl mondänste Meile. Edle Boutiquen und herrschaftliche Häuser säumen den Weg bis zur Place des Martyrs, die unter den Luxemburgern schlicht als Rousegäertchen firmiert – ein Name, der recht anheimelnd wirkt, zumal angesichts der den Platz umgebenden Architektur, darunter der imposante Verwaltungssitz von ArcelorMittal, des größten Stahlkonzerns der Welt.

Wiege der Europäischen Union

Doch das ist nur ein weiterer Beleg für den kontrastreichen Charme dieser Stadt, die sich fortdauernd wandelt und sich dennoch im Großen und Ganzen treu bleibt. Luxemburg ist

Entre le pont Adolphe et la gare, on découvre une autre face de Luxembourg: ses allées huppées. Ainsi, l'avenue de la Liberté, qui relie le boulevard Royal au quartier de la Gare, est aménagée dans le style des fastueuses avenues françaises. Le premier immeuble remarquable se trouve immédiatement à proximité du pont. Il est si impressionnant qu'on le prendrait pour l'hôtel de ville, sinon même pour le palais.

En fait, il s'agit du bâtiment représentatif de la Banque et Caisse d'épargne de l'Etat. Avec sa luxueuse façade et son imposante tour angulaire, ce complexe d'immeubles semble former un ensemble avec le pont Adolphe, ce qui n'est pas du tout le fruit du hasard. En effet, à cet endroit, les urbanistes luxembourgeois ont voulu créer un contrepoids à la vieille ville.

L'avenue de la Liberté est sans doute l'artère la plus cossue de la ville. Les élégantes boutiques et les maisons patriciennes se succèdent jusqu'à la place des Martyrs. Appelée Rousegäertchen ("Roseraie") par les Luxembourgeois, cette place est entourée d'une architecture intéressante. L'un de ces complexes d'immeubles est le siège du groupe ArcelorMittal, le n° 1 mondial de la sidérurgie.

Le berceau de l'Union européenne

Voilà un autre exemple du charme plein de contrastes que dégage cette ville, qui, même si elle suit une perpétuelle évolution, a toujours su rester fidèle à elle-même. Aux côtés de Bruxelles et de Strasbourg, Luxembourg est l'une des trois capitales de l'Union européenne. Elle est d'ailleurs particulièrement fière d'avoir porté le berceau de Robert Schuman, qui est né dans

avenue. Reminiscent of French boulevards, the Avenue de la Liberté links the Boulevard Royal and the station area. Right at the end of the bridge, one's attention is drawn to a building that at first glance resembles a town hall or even a palace.

In actual fact, this building houses the headquarters of the State Savings Bank. It is no coincidence that this building complex with its intricate façade and mighty tower appears to form a whole with the Adolphe bridge. Luxembourg's town planners wanted to create an architectonic companion piece to the old town.

The Avenue de la Liberté is Luxembourg's most fashionable mile. Exclusive boutiques and magnificent houses line the way to the Place des Martyrs, referred to simply as the Rousegäertchen (Rose Garden) by the Luxembourgers – a name with a cosy connotation, which contrasts in particular with the architecture surrounding the square, including the imposing administrative headquarters of ArcelorMittal, the world's largest steel group.

Cradle of the European Union

This is yet another piece of evidence testifying to the wealth of contrasts that make up the charm of this city, which continues to undergo change while remaining faithful to itself. Alongside Brussels and Strasbourg, Luxembourg is one of the three capitals of the European Union. The fact that a personage such as Robert Schuman first saw the light of day in the suburb of Clausen, in the shadows of the fortress walls, fills the locals with particular pride. Schuman spoke Luxembourgish and despite the fact that he moved to

neben Brüssel und Straßburg eine der drei Hauptstädte der Europäischen Union, und dass kein Geringerer als Robert Schuman in der Vorstadt Clausen und damit im Schatten der Festungsmauern das Licht der Welt erblickte, darauf ist man hier besonders stolz. Schuman sprach Luxemburgisch, und auch wenn er – zwischenzeitlich nach Frankreich übergesiedelt – später als französischer Außenminister und Vater der Montanunion von sich Reden machte, so wird er im Großherzogtum doch bis heute verehrt.

Zu Recht, denn die positiven "Spätfolgen" von Schumans Vision eines geeinten Europas zeigen sich an allen Ecken und Enden der Stadt – vor allem aber auf dem Kirchberg, dessen städtebauliches Antlitz in den kommenden Jahren noch einige zusätzliche Konturen bekommen wird.

Jahrhundertelang war die Festung Luxemburg ein Zankapfel europäischer Mächte. Seit einigen Jahrzehnten nun sind die Luxemburger Mittler zwischen den Mitgliedern der EU, ist das Land ein geachteter internationaler Akteur und ein Magnet für Menschen aus aller Herren Länder. Nirgends sonst im Großherzogtum spürt man dies stärker als in der Hauptstadt.

le faubourg de Clausen, à l'ombre des murs de la forteresse. Schuman parlait le luxembourgeois et – même s'il s'est expatrié en France, où il a été ministre des Affaires étrangères – le père de la Communauté européenne du charbon et de l'acier fait, jusqu'à aujourd'hui, l'objet d'une véritable vénération au Luxembourg.

La ville a aussi largement profité des visions de Schuman, qui rêvait d'une Europe unie, et la construction européenne a laissé des traces un peu partout. Le quartier où cette présence européenne est la plus marquée est évidemment le Kirchberg, qui va d'ailleurs encore connaître de nombreuses modifications urbanistiques dans les années à venir.

Des siècles durant, la forteresse de Luxembourg a suscité des conflits entre des puissances européennes. A présent, depuis quelques décennies, les Luxembourgeois font office de médiateurs entre les membres de l'Union européenne. Le pays s'est imposé en tant qu'acteur international respecté et attire des hommes et des femmes du monde entier. Nulle part ailleurs au Grand-Duché, cet internationalisme n'est plus palpable que dans la capitale.

France and became the French Minister of Foreign Affairs and the founder of the European Coal and Steel Community, he is still revered in the Grand Duchy to this day.

Rightly so, because the positive "long-term consequences" of Schuman's vision of a unified Europe can be witnessed in all corners of the city – in particular on Kirchberg, the architectural countenance of which will be gaining some additional features in the years to come.

For centuries, the fortress of Luxembourg was a bone of contention between foreign powers. And now, for the last few decades, Luxembourg has played the role of mediator between the members of the EU, and the country is an internationally recognised player and a magnet for people from all four corners of the globe. Nowhere in the Grand Duchy is this felt as strongly as in its capital city.

Fußgängerzone im Stadtkern // Zone piétonne au centre ville // Pedestrian zone in the city centre

Die "Drei Türme" // Les "trois tours" // The "three towers"

Luxembourg City

Die Hauptstadt des Großherzogtums // La capitale du Grand-Duché //
The capital of the Grand Duchy

Der Autor // l'auteur // the author:

Marcus Stölb, 1974 in Trier geboren, berichtet als freiberuflicher Journalist für verschiedene deutsche Tages- und Wochenzeitungen über die europäische Großregion Saar–Lor–Lux–Rheinland-Pfalz–Wallonie. Er ist zudem Herausgeber und Redaktionsleiter des Trierer Online-Magazins 16vor.de.

Marcus Stölb, né en 1974 à Trèves, collabore en tant que journaliste à divers quotidiens et hebdomadaires allemands, notamment sur des sujets qui tournent autour de la Grande Région. Il est en outre responsable de la ligne éditoriale et cofondateur du magazine électronique 16vor.de à Trèves.

Marcus Stölb, born in Trier in 1974, is a freelance journalist who writes for various daily and weekly newspapers on the Greater Region of Saarland, Lorraine, Luxembourg, Rhineland-Palatinate and Wallonia. He is also the publisher and chief editor of Trier's online magazine 16vor.de.

Französische Übersetzung // traduction française // French translation: Manu Aruldoss
Englische Übersetzung // traduction anglaise // English translation: Claire Weyland
Grafik und Layout // graphisme et mise en page // graphic art and layout:
Miriam Rosner, M&V Concept
Druck // impression // printing: Canale
Fotos // photos: Editions Guy Binsfeld / Rob Kieffer, Christof Weber,
Luxembourg City Tourist Office

© 2008 Editions Guy Binsfeld
14, Place du Parc
L – 2313 Luxembourg
Tél.: +352/49 68 68 1
editions@binsfeld.lu
www.editionsguybinsfeld.lu

Vertrieb für das Großherzogtum Luxemburg // Distribution pour le Grand-Duché
de Luxembourg // Distribution in the Grand Duchy of Luxembourg
Messagerie du Livre
5, rue Raiffeisen, L – 1020 Luxembourg, Tel.: 40 10 25 55
www.mdl.lu

ISBN: 978-2-87954-195-2